건강이 행복입니다.

늘 건강하세요

저자 이선옥

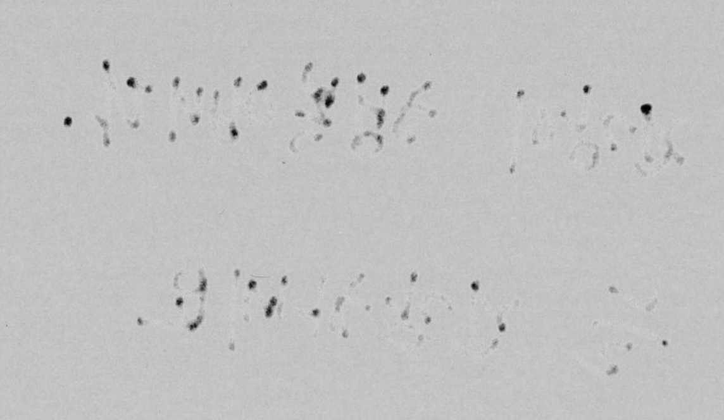

검
진
아

고
맙
다

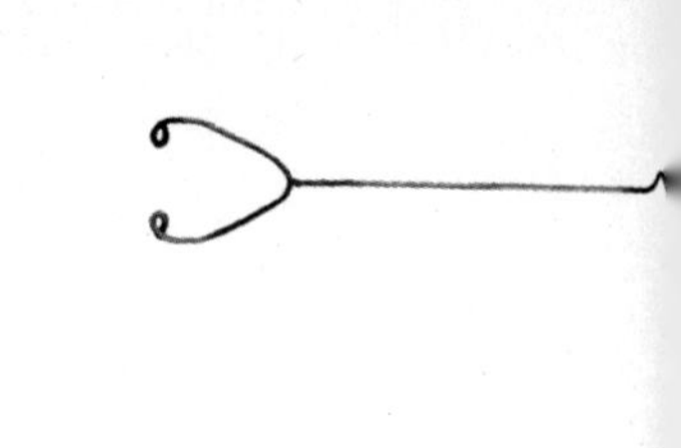

# 검진아 고맙다

암을 알고, 건강한 삶이 더해지는 방법

더클

목차

## 3장 덤 우리의 삶은 '덜'일까요, '덤'일까요

# 프롤로그

**"나 전화 받았다고!** 도대체 그 병원에서 얼마나 받아 먹었길래 맨날 전화질이야, 전화질이? 전화하지 마!"

"어르신, 다른 게 아니라…."

할 말을 미처 꺼내기도 전에 전화는 뚝 끊어지고 맙니다. 어르신이 국가암검진 대상자이니 국가암검진 기관에 가셔서 검진을 꼭 받으라는 말을 하려고 했습니다. 보건소 검진담당 공무원으로서 의무적으로 전화를 드린 것이었습니다. 업무 중에 욕으로 시작해서 욕으로 끝나는 전화를 받았는데도 기분이 많이 나쁘지 않은 이유가 있습니다.

저는 올해 26년차 보건소 공무원이고, 이런 전화는 상당히 익숙해졌기 때문입니다. 욕을 하는 분들은 다른 스팸전화에 시달렸거나 그 시간에 중요하고 바쁜 일이 있어서일 것이라고 생각할 만큼 여유도 생겼습니다. 그보다 더 중요한 것은, 이렇게 안내하다보면 상당히 많은 분이 검진에 참여한다는 사실입니다. 처음엔 그냥 욕을 했던 분들 중에는 검진을 받고 초기암을 발견해서 치료받고 건강해진 분도 있습니다. 검사를 받은 당사자와 가족들의 감사 인사를 받는 것도 이제는 일과처럼 느껴질 정도라, 욕 한마디 정도는 기억도 나지 않습니다.

보건소의 검진담당 업무는 그냥 업무가 아닙니다. 국민 3명 중에 1명의 생명을 살리고 연장시키는 숭고한 일입니다. 예방접종, 금연운동, 걷기사업, 혈관수치 바로알기, 치매예방, 방문간호 등의 수많은 보건사업이 있습니다. 그럼에도 건강검진을 받지 않아 몸속 암세포가 커져가고 생명이 단축된다면, 이 사업들과 건강을 지키기 위해 노력했던 모든 것들이 무슨 의미가 있겠습니까. 평소에 자신의 건강을 과신하며 검진을 소홀히 하신 분들에게 검진을 받으라고 간곡한 안내를 하고자 합니다.

'회피가능사망률'이라는 말 들어보셨나요? 죽음을 예방하거나 피할 수 있는 확률을 일컫는 말입니다. 2014년에는 34.9%의 확률이었다는 질병관리본부의 보도가 있었습니다. 이것은 곧 건강검진과 현대 의학의 치료로 3명 중에 1명은 살릴 수 있었다는 뜻입니다.

"검진만 제때 받았더라면…" 하는 한탄을 없애기 위해 국가가 나섰습니다. 국가암검진 사업의 홍보는 국립암센터, 국민건강보험공단, 보건소가 합니다. 정기검진은 생명을 연장시키고, 중증질환을 조기에 발견하여 없앨 수도 있습니다. 원래의 건강한 삶을 살도록 해줍니다. 전화로, 안내문으로, 마을회관 방문을 통해 주민들에게 건강검진을 받으라고 했던 것처럼 책에도 똑같이 말하고 싶습니다. 한 분이라도 더 빨리 건강검진을 받았으면 해서 책을 쓰기로 마음먹었던 것입니다.

이 책이 가장 반복적으로 강조하는 것은 오직 한 가지! 얼른 건강검진 받으시라는 것입니다. 건강검진이 얼마나 중요하고 필요한지 알려드리겠습니다. 이 책을 읽으신 분들이 검진의 중요성을 절실히 알게 되길 희망합니다.

건강검진전도사 이선옥

1장

# 앎

'암'을
제대로 알면 이기는방법이 보입니다

# 전부 구출한 3월 21일

많은 사람을 살리는 날이 3월 21일입니다. 병으로 인해 삶을 잃을 수도 있었던 사람 3명 중 1명은 살아날 수 있는 날이기도 합니다. 이날은 바로 세계보건기구WHO에서 지정한 '세계 암 예방의 날' 입니다. 해마다 증가하는 암 발생률을 줄이고, 진단 정보와 함께 실제로 실천할 수 있는 예방법들을 알리고자 지정했습니다. 암 예방과 건강검진은 떼려야 뗄 수 없는 관계입니다. 건강을 위해 운동을 하거나 식이요법을 하는데도 암이 생겼다면 검사를 통해 얼마든지 없애는 것이 가능합니다. 암은 눈에 보이지도 않고, 누군가로 인해서 알게 되는 것도 아닙니다. 전문장비와 첨단시스템을 갖춘 병원에서 정밀검사를 받고, 전문의사에게 조치에 대해 듣고 적절한 치료를 받아야 합니다.

검진이야말로 '암의 싹'을 없애버리는 것이니 최고의 예방법이라고 할 수 있습니다. 실제로 암 예방의 날을 전후해서 검진율도 높게 나타나고 있습니다.

세계보건기구에서 암 예방의 날을 지정한 것에는 특별한 이유가 있습니다. 먼저 3월 21일이라는 날짜에 담긴 의미입니다. 3분의 1은 예방활동과 검진 실천으로 암 예방이 가능하고, 3분의 1은 조기 진단 및 조기 치료로 완치가 가능하다는 것. 그리고 3분의 1의 암환자들도 적절한 치료를 하면 완화가 가능하다는 말입니다. 그래서 3, 2, 1로 연결된 날이 3월 21일입니다.

날짜의 의미로만 본다면 암은 100% 예방하거나 조기 치료하거나, 완치되거나, 완화된다는 결론이 나옵니다. 거짓이 아닌 사실입니다. 예방을 하니 당연히 암에 걸릴 확률이 낮아지는 것이고, 조기에 진단을 받으니 조기 치료로 완치가 되는 것입니다. 이미 진전이 된 환자들도 적절한 치료를 받아서 완화되는 것도 사실입니다,

1년 중 하루라도 암에 대해 제대로 인식하고, 예방하려는 노력을 해보세요. 3월은 꽃피는 희망의 봄입니다. 혹시 암이 생겼을지 몰라도 검진의 날을 잡으면 됩니다. 하루도 아니고 반나절도 안 걸리는 시간입니다. 해도 바뀌고, 새 학기도 되었으니 사랑하는 내 몸을 위해서 검진을 받아주세요. 몸 안의 나쁜 병은 얼른 제거해버리고 희망의 새싹만 피우시면 됩니다.

보건소와 병원, 검진센터에 가면 곳곳에 붙어있는 암 예방 수칙 열 가지가 있습니다. 꼭 숙지하시고 집 안 구석구석에 붙여주세요. 보이면 신경 쓰이고, 조심하게 되고, 생활화되면서 암뿐만 아니라 건강에도 여러 가지 도움이 되는 정보입니다.

# 암이란?

암은 초기에 별다른 증상이 없다가 어느정도 진행되면서 우리가 감지할 수 있는 증상이 나타납니다.

다음은 암의 조기 경고 신호로 이러한 증상이 나타나면 반드시 의사를 찾아 암이 아닌지 확인해 보셔야 합니다.

## 암의 조기 경고신호

**위**

상복부 불쾌감, 식욕부진 또는 소화불량이 계속될 때

**간**

우상복부 둔통, 체중감소 및 식욕부진이 있을 때

**폐**

계속되는 마른 기침이나 가래에 피가 섞여 나올 때

**자궁**

이상 분비물 또는 비정상적인 출혈이 있을 때

**유방**

통증이 없는 혹덩어리 또는 젖꼭지에 출혈이 있을 때

**대장·직장**

대변에 점액이나 피가 섞여 나오고 배변습관의 변화가 있을 때

**혀·피부**

잘 낫지 않는 궤양이 생기거나, 검은 점이 더 까맣게 되고 커지며 피날때

**비뇨기**

혈뇨나 배뇨 불편이 있을 때

**후두**

쉰 목소리가 계속될 때

# 국민 암 예방 수칙

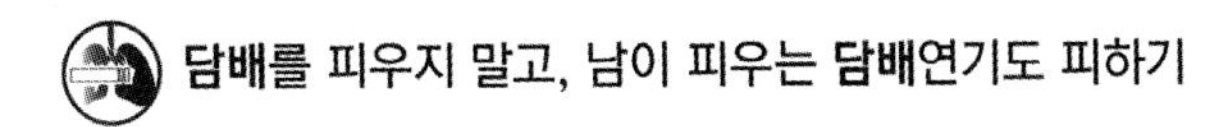

**담배**를 피우지 말고, 남이 피우는 **담배**연기도 피하기

채소는 충분히 과일은 적당히 먹고,
다채로운 식단으로 균형 잡힌 **식사**하기

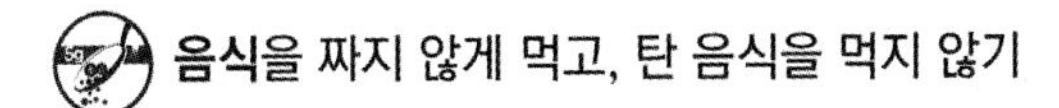

**음식**을 짜지 않게 먹고, 탄 음식을 먹지 않기

암 예방을 위하여 하루 한 두잔의 소량 **음주**도 피하기

주 5회 이상, 하루 30분 이상, 땀이 날 정도로 걷거나
운동하기

자신의 체격에 맞는 건강 체중 유지하기

예방접종 지침에 따라 B형 간염 **예방접종** 받기

성 매개 감염병에 걸리지 않도록 안전한 **성생활** 하기

**발암성 물질**에 노출되지 않도록 작업장에서 안전보건수칙
지키기

암 조기 검진 지침에 따라 검진을 빠짐없이 받기

암 예방 수칙 10가지를 보고 어떤 생각이 드시나요? 아마 생각보다 어렵지 않다는 생각이 들 것입니다. 이 수칙들 모두 우리 생활에 관련된 것들이고, 생활 속에서 충분히 해낼 수 있는 것들입니다. 돈 들어가는 일보다는 돈 안 드는 일이 더 많습니다.

암 진단을 받은 분들 중에는 위 수칙들을 실천하면서 오히려 전보다 더 건강해진 분도 많습니다. 발병된 후에 병이 진전되지 않기를 바라는 공포에 쫓기기 전에 미리 실천해보시라고 당부드리고 싶습니다.

위 10가지 중에 제가 가장 강조하고 싶은 것은 마지막 10번 항목의 '암 조기검진 지침에 따라 빠짐없이 검진받기'입니다. 검진을 제대로 받아서 건강에 이상이 없다면 다행입니다. 이상이 있으면 빨리 치료를 받을 수 있으니 감사한 일입니다. 만약에 이상이 생겨 치료를 하게 된다면 나머지 아홉 가지는 본인이 스스로 지키게 될 것입니다. 더 좋은 방법은 없는지 찾아보기도 하고, 가족들까지 챙겨주는 건강전도사가 될 겁니다.

언제 검진을 받으면 좋을지, 그 '시기'에 대한 이야기를 하고 마무리 짓도록 하겠습니다. 사람들은 "대체 언제, 몇 년 주기로 받는 게 좋은 건가요?"라는 질문을 많이 합니다. 만약 정기적인 검진을 한 번도 받지 않으신 분들이라면, 제 대답은 이렇습니다.

"지금 당장 받으러 가십시오."

검진을 받은 지 오래된 분도 마찬가지입니다. 바로 지금입니다.

이미 검진을 정기적으로 받아본 분이라면 이제까지 해왔던 대로 홀짝 연도 정기검진 안내에 검진하시면 됩니다. 연말연시에는 검진기관들에 검진자가 많이 몰립니다. 연말까지 미루지 말고 3월 21일을 생각하면서 봄부터 가을까지 받을 계획을 짜보세요. 사람도 적어 여유롭고 양질의 서비스로 만족스러운 검진을 받을 수 있습니다.

암 예방의 날인 3월 21일에만 살아날 수 있는 게 아닙니다. 검진 받는 날, 그날이 암을 예방하는 날이 되어 기쁨과 안심을 얻으실 겁니다.

# 검진받고도 지원 못 받는 이유

"내가 3만 원이나 내고 검진을 받았는데 왜 안 받았다고 하는 거야?"

"국가암검진은 무료인데요, 그 3만 원을 내고 받으신 것 때문에 안 된다는 겁니다."

"무슨 소리야? 나랑 장난해!"

"저희가 어떻게 사모님에게 장난을 치겠습니까."

다짜고짜 화를 내며 보건소에 들이닥친 민원인과의 대화입니다. 일단 자리를 내주며 차 한 잔을 내드리고,

그분의 이야기를 들어주고 안 되는 이유를 설명하려고 했습니다. 그러다 자신이 검사를 받았던 병원에 전화해보라고 큰소리로 말씀하시길래 직접 전화를 하게 되었습니다.

“안녕하세요! 진안군보건소인데요. 000 환자 기억하시죠? 지금 오셔서 의료비 지원을 해달라고 말씀하시는데요, 병원에서도 잘 아시잖아요. 국가암검진기관이 아니면 의료비지원이 안 된다는 사실을요. 우리 병원은 유방암검진 지정병원이 아니니 다른 병원으로 가셔야 한다고 환자분에게 전달 좀 해주지 그러셨어요.”

가끔 해당 병원에서 안내가 잘 나가지 않는 통에 이런 사태가 벌어지고 있었기에 다시 주의를 주고자 하는 의도였습니다. 그런데 병원 측의 대답을 듣고 놀랄 수밖에 없었습니다.

“그 환자분에게 말씀드렸더니 바쁘다고, 그냥 돈 내고 받겠다면서 기어코 검사받았어요. 저희는 분명히 말했죠.”

이렇게 기막힐 노릇이 어디 있겠습니까. 이분은 검진지정병원이 아닌 병원에서 다른 4가지 검진을 받고 나서 유방암 종목만 본인부담 진료로 받은 것이었습니다. 다른 검사 항목들은 정상으로 나왔는데, 유방암만 소견이 나와서 큰 병원에서 진단받게 된 것입니다. 결국, 본인이 검진과 진료를 정확히 구분하지 않고 암 의료비 지원을 신청하러 찾아온 경우였습니다.

지금까지는 환자들에게 내용이 잘 전달되지 않았거나 다른 검사, 치료 중에 발견이 되면서 진단을 받게 된 경우는 있었습니다. 그런데 병원 측의 안내를 듣고도 당사자가 받지 않겠다고 한 경우는 처음이었습니다. 혼자 대수롭지 않게 생각하며, 그날 당장에 바쁜 일이 있었고 병원에 들른 김에 기어코 진단을 받았던 것이죠. 만약 6백만 원의 의료비지원이 있고 그곳에서 검진을 받으면 지원금을 못 받을 수 있다는 말을 제대로 알아들었다면 어땠을까요. 아무리 급한 일이 있었어도 그곳에서 검진을 받지 않았을 것입니다. 이유야 어찌되었든 안타까운 일이었습니다.

제가 병원과 통화하고 나서 아주머니는 오히려 더 심하게 소리를 지르고 억울하다고 했습니다. 병원도 나쁘고 보건소도 나쁘다며 왜 제대로 말해주지 않았냐고 했습니다. 어느 쪽이 무슨 잘못을 했든 아주머니의 화는 극도에 달했습니다. 그렇다고 해서 규정상 불가능한 지원을 해줄 방법은 없었습니다.

저 역시 가끔 몸이 아픈 날이 있고, 말이 전혀 통하지 않는 민원인들로 인해 피곤하고 지칠 때가 있을 때도 있습니다. 하지만 암환자들의 심정과 고통을 헤아려 보고, 지원금을 받을 수 없다는 말을 듣게 되면 그 기분이 오죽하랴 싶은 생각이 듭니다. 암 진단을 받은 분이 보건소에 왔을 때 '을'의 입장이 되거나 위축된 기분을 느끼게 해서는 안 됩니다. 그렇기에 저는 감정을 감추고 최대한 더 밝은 모습과 친절한 자세로 응대합니다. 가끔은 우리도 감정 노동자에 분류될 수도 있겠구나 하는 생각이 들기도 하지만, 얼른 다시 자세를 바로 합니다. 저는 암에 걸리지 않은 담당 공무원이니까요. 간혹 행정상의 문제와 오해로 인해 상처받는 암환자에게 더 깊은 상처를 주면 안 된다고 다짐하며, 늘 조심합니다.

먼저 대화가 필요하다고 생각했습니다. 그래도 이렇게 조기에 발견하여 빠른 치료를 받게 된 것이 감사한 일이고, 새 생명을 얻은 것이나 다름없다고 차분하게 말했습니다. 또 '암'이라는 놈은 주인이 화내고 스트레스받으면 더 신나게 활동해서 상태를 지금보다 나빠지게 할 수 있는 놈이라는 걸 덧붙였습니다. 그냥 단순한 임기응

변으로 아주머니 화를 가라앉히려는 게 아니었습니다. 실제로도 '암'은 환자의 스트레스에 더 많은 활동을 한다는 여러 연구와 의사들의 발표를 보았던 터라 말해준 것입니다.

"지원금 못 받은 문제는 얼른 잊으시고 좋은 생각만 하면서 감사한 마음으로 치료에만 정성을 쏟아보세요."

대화 끝에 아주머니의 화는 가라앉았고, 헤어질 때는 웃음까지 지어 보였습니다. 결국 보건소에서 의료비지원을 받을 수 없었고 전부 자신의 돈으로 치료비를 내야 했지만, 어쩔 수 없는 일은 흘려보내고, 조기검진 덕분에 건강을 챙길 수 있던 걸 다행으로 알고 가셨습니다.

어떤 피치 못할 상황이 생길 때, 우리가 아무리 '국가암검진사업'의 '의료비지원'을 말해도 주민들이 완벽하게 알아듣지 못한다는 걸 다시 깨닫게 되었습니다. 아주머니가 방문했던 개인병원도 국가암검진 5대암 중 3종류의 암에 대해서는 국가암 검진기관으로 등록이 돼 있었습니다. 의사를 포함해 간호사와 간호조무사들도 정확하게 숙지하고, 해당되지 않는 암에 대해서는 의료비지원이 없다는 내용을 정확하게 환자들에게 전달해야 했습니다. 이런 일이 발생하면 환자의 실수는 두 번째 문제가 됩니다. 병원도 그렇고 보건소도 그렇고 신뢰는 잃고 잘못도 없이 욕만 듣게 됩니다. 저는 이런 상황이 또다시 생기지 않도록 일부 항목만 검진하고 있는 모든 병원에 전화했습니다. 사태의 심각성을 말해주고 제발 이런 불상사가 일어나지 않도록 모두가 한마음으로 협조하자고 했습니다.

이 글을 보는 독자님들도 꼭 알아둘 문제입니다. 국가암검진사업으로 5대암에 대해 의료비 지원이 있는데, 5대암 모두 검진이 가능한 병원이 있는가 하면 자궁암만 지정된 곳도 있고, 위암만 지정된 곳도 있으며, 때론 위 상황처럼 4가지는 되고 유방암만 제외인 곳도 있습니다. 꼭 스스로 확인하고 병원에 가셔야 한다는 사실을 기억하셔야 합니다. 예를 들어 산부인과 의사가 없는 곳은 자궁암에 대해서는 검진을 받을 수도 없고, 받는다 해도 의료비지원은 불가능합니다.

아주머니의 사연은 당사자와 병원 관계자, 보건소 직원들에게 안타까운 일이었지만, 해당 내용에 대해 확실하게 안내하는 계기로 삼으며 정확한 안내에 집중하고 있습니다. 국가암검진 기관인지만 확인하는 게 아니라, 5대암 전부 해당이 되는 검진기관과 병원인지 꼭 확인하시기 바랍니다.

## KBS 스페셜

## '앎'

"유방암 4기입니다. 왜 이렇게 늦게 오셨나요."

"어떻게 이럴 수가. 아무 증상도 예고도 없이… 진즉에 건강검진 한번 받아볼 걸…."

"우리 딸 초등학교 입학 때라도, 아니면 유치원 입학 때까지라도, 아니 아니, 돌잔치 라도 볼 수 있도록 허락해 주세요. 딸아이가 아이를 낳으면 미역국만이라도 끓여주게 해주세요."

"하나님! 혼자는 이 세상 아이들을 돌보기 어려워서 엄마라는 자리를 내주어 대신 돌보라는 명령을 주시고 왜 이렇게 저를 빨리 데려가셔요?"

KBS스페셜 '앎'에 나오는 의사와 젊은 엄마들의 대화와 독백입니다.

작년 12월 24일, 친정 가족모임으로 부산을 가는 차 안에서 자매들과 대화를 나누던 중에 '앎'에 대해 알게 되었습니다.

"엊그제 텔레비전에서 암 관련 프로 봤어?"
"아니, 무슨 내용인데?"

다큐멘터리 '앎'은 건강검진을 받지 않아 거의 말기에 암 진단을 받은 젊은 엄마들의 이야기입니다. 동생은 이 방송을 보고 "건강검진이 그렇게 중요한지 새삼 느꼈다"고 했고, 언니는 "네가 쓰려는 책 내용이 정말 중요하겠다"라며 꼭 한 번 보라고 추천해주었습니다.

처음에는 승진 준비해서 얼른 승진이나 하지, 지금 무슨 책을 쓰냐고 핀잔을 주었던 가족들인데 제 책을 챙겨주게 된 것입니다. 끝까지 최선을 다해서 좋은 책을 써

내라는 응원까지 아끼지 않았습니다.

저는 이 방송을 시청하고부터 5분도 되지 않아 눈물을 쏟았고 한 시간 내내 울어야 했습니다. TV에 등장하는 젊은 엄마들은 유방암·대장암·위암으로 모두 4기나 말기로 판정된 환자들이었습니다. 30대 초부터 40대 말의 한창 건강하게 활동할 나이라 더 안타깝고 가슴 시린 사연들이었습니다. 암환자들은 담당의사가 암 진단을 내리는 순간부터, 배우자나 부모 생각보다는 아이들 생각에 가슴 아프게 우는 모습부터 보입니다. 그들의 자녀는 1살부터 유치원생, 초등학생, 중고등학생, 대학생 그리고 군대 간 아들까지 나잇대도 다양했는데 아직 부모의 역할이 필요한 경우도 많았습니다. 한 엄마는 아이의 돌잔치까지만 살게 해달라고 간절히 기도하고 어떤 엄마는 아들이 군대 제대할 때까지만 살게 해달라고 간절하게 기도했습니다. 심지어는 말기 대장암 판정을 받은 남편의 소식을 들은 후 부인도 1년 만에 4기암 판정을 받은 경우도 있었습니다.  하지만 암 진단을 받은 후에 얻은 것도 많다며 세상을 바라보는 다른 눈이 생겼다고도 말합니다. 삶의 태도를 바꾸게 되었다는 마지막 자세가 어찌나 마음을 울리는지 몰랐습니다.

'그래, 이 책 안 써도 누가 뭐라 할 사람 아무도 없는데 뭐 하러 맘 고생하며 검진 안내서를 쓰나!' 하면서 포기하려던 내 모습이 갑자기 근무태만일 수 있겠다는 생각이 들어 다시 펜을 잡았습니다. 강한 의무감이기도 했습니다. 이 책으로 하여금 단 한 사람이라도 조기검진을 통해 1기나 2기에 발견하여 아이 돌잔치, 유치원 입학은 물론이고 초중고를 졸업하고 군대 제대하고 결혼할 때까지 엄마 자리를 유지할 수 있도록 도와주자고 다시금 결심하게 되었습니다.

이 방송을 시청한 이후로는, '미수검자들에게 욕을 먹더라도 한 통이라도 더 전화하고 홍보하여 한 사람이라도 생명을 연장해주고 또 살릴 수 있도록 더 열심히 해야겠다'는 생각이 강해졌습니다. '난 정말 최선을 다했다!' 라고 당당히 말할 수 있을지는 모르겠지만, 적어도 부끄럽지 않은 공무원으로 역할을 해야겠다고 다짐하는 시간이었습니다. 방송에 나온 사연들은 모두 국정평가에 들어가 있는 5대암 종류였습니다. 국가암으로 선정된 5대암은 가장 많이 걸리기도 하지만, 조기에 검진하여 발견만 된다면 생명이 연장되고 완치까지 가능한 암 종류입니다. 그런데 한참 젊은 나이라 어디 아픈 곳도 없어 보이고, 육아와 각자 맡은 업무에 충실 한다는 이유로 검진을 미룹니다. 병을 예방하는 가장 쉽고 간단한 방법인 조기 검진을 소홀히 하다가 말기가 되어서야 발견하여 울고불고합니다. 1년만, 아니 몇 달만 더 오래 살게 해달라고 애원하는 모습을 보고 보건소 직원의 업무 소홀로 이런 비극이 오지 않았나, 1년 전에 조기검진을 받으라고 한 번만 더 권했더라면 하는 죄스러운 생각까지 들었습니다.

"건강검진 한번 받아볼 걸" 하면서 우는 말기 암환자 말이 어찌나 가슴을 후벼 파던지요. 젊었을 때부터 건강과 검진에 관심을 가져서 가족 사랑을 실천하길 바라며, 검진을 대수롭지 않게 생각했던 분이 있었다면 지금 이 책을 덮고 유튜브에서 방송 '앎'을 시청하시라고 말해주고 싶습니다. 암은 얼마든지 예방이 가능합니다! 어떻게요? 최소한 2년마다 실시하는 국가암검진을 받아보세요. 조기검진으로 조기진단을 받고 조기치료하면 의료비는 줄어들고 생명은 연장되면서 가족은 행복해집니다.

# 암 진단받고 치료받으면 6백만 원 받습니다

“내 전화번호 어떻게 알았어? 어떻게 알았냐고? 개인정보 유출이 얼마나 큰 죄인 지 몰라? 너 정말 보건소 공무원 맞아? 내가 고발한다.”

술을 마신 것인지 혼자 횡설수설하고, 간혹 개인정보 유출을 언급하면서 불쾌하게 전화 받는 분들이 계십니다. 전화하는 저희들 역시 황당한 것은 마찬가지이지만 기분 나쁘게 응대할 수는 없는 노릇입니다.

"선생님께 저희가 전화를 드리고 안내해야 할 의무가 있어서 전화 드렸어요. 선생님은 올해 검진 대상자이고 재작년에도 검진을 받지 않으셨더라고요. 그러니까 올해는 꼭 검진을 받으시라고 연락드리는 겁니다."

제 전화를 차분히 들어주는 분들은 멈칫하면서도 건강검진은 알아서 받을 테니 감사하다는 말을 하거나 반대로 욕으로 시작해서 욕으로 끝내는 분도 계십니다.

우리 보건소가 국민의 세금으로 월급을 받고 하는 일은 검진을 받아야 하는 분들에게 안내하는 것입니다. 반드시 해야 할 업무고, 안내하지 않으면 근무 태만으로 결격사유가 됩니다.

> **건강검진기본법 1장 제4조 3항**
>
> 모든 국민은 건강검진을 통하여 질병으로부터 자신과 가족의 건강을 보호 증진하기 위하여 노력하여야 한다

혹시 이 건강검진기본법에 대해 들어 보셨나요? 검진을 통하여 자신과 가족의 건강을 보호증진 하는 것은 국민의 권리입니다. 지금 가족의 건강을 보호하기 위해 얼마나 노력하고 계신가요? 깜빡하고 지나쳤지만 누군가가 건강검진을 받아보라고 안내해주는 사람이 단 한 사람이

라도 있었나요?

대한민국에서 스팸 전화나 나쁜 짓을 하기 위해 건강검진을 안내했다는 말은 한 번도 들어본 적이 없습니다. 모쪼록 이 글을 읽는 독자분이시라면 누군가가 전화로 건강검진을 안내할 때 알겠다고 한 마디라도 해주시면 감사하겠습니다. 물론 전화를 끊은 후에는 검진을 언제 받았는지 생각해보고, 때가 되었다면 검진을 신청해주기까지 한다면 더욱 좋겠습니다. 모두가 살기 어렵다고 하는 이때 국민 여러분이 내는 세금으로 열심히 일하기 위해 최선을 다하는 일선 공무원들이 있다는 생각도 해주면 감사하겠습니다.

이 내용은, 가장 중요한 정보이기도 합니다. 보건소에 항의 방문하거나 민원이 들어오는 가장 흔한 사유도 바로 의료비지원에 관한 내용입니다. 6백만 원의 돈을 받을 수도 못 받을 수도 있는 큰 문제이기 때문입니다. 우리나라 국민의 50%가 넘는 사람들에게 돌아가는 혜택이니까 꼭 알아두시기 바랍니다.

작년 선정기준 월(2016년 11월) 건강보험료 부과기준 금액이 지역가입자는 87,000원, 직장가입자는 88,000원 이하이거나 의료급여법에 따른 의료급여 수급권자에게 해당됩니다. 국민의 50%에 해당하는 대상자이니 내가 아니더라도 가족과 이웃 중에 해당되는 분들이 많은데도 몰라서 신청하지 못하는 경우가 많습니다.

1999년부터 의료수급권자에게만 3대암위암, 유방암, 자궁경부암에 한해 국가암검진사업을 실시해왔습니다. 2004년에 이르러서는 5대암간암·대장암 추가까지 범위를 늘렸고, 수급권자에게만 주던 혜택을 건강보험가입자 하위 50%까지 넓혔습니다. 암 관리법 제11조(암검진사업)의 규정에 의한 '암검진사업 실시기준'을 근거로 했습니다. 국가암검진사업을 통하여 우리나라 국민의 사망원인 1위인 암을 조기에 발견하여 치료를 유도함으로써 암의 치료율을 높이고 암으로 인한 사망을 줄이는 것이 사업목적입니다.

암관리법 시행령 제6조에 의거, 암검진 사업 대상자의 선정과 통보, 검진비 지급은 국민건강보험공단이 하고 대상자에 대한 검사와 진단은 지정검진기관에서 합니다. 암검진에 관한 홍보는 우리 보건소와 공단, 국립암센터에서 합니다. 국립암센터는 프로그램의 개발, 관리, 암검진의 질 관리까지 합니다.

건강검진기본법 제5조에 나오는 국가와 지방자치단체의 의무에 대해서도 말씀드리겠습니다.

### 제5조(국가와 지방자치단체의 의무)

1항, 국가와 지방자치단체는 국민건강의 보호증진을 위하여 국가건강검진을 실시, 지원함으로써 질병을 조기에 발견 진단 치료하고 사후관리가 될 수 있도록 적극 노력 하여야 한다.

2항, 국가는 성 연령별 건강위험을 고려하여 국가검진을 계획하여야 한다.

3항, 국가와 지방자치단체는 국가건강검진 실시와 관련된 안내 및 건강검진의 결과를 당사자에게 적절한 방식으로 제공함으로써 건강검진의 효과를 높이고 국민의 건강을 증진시켜야 한다.

제5조는 국가와 지방자치단체의 의무입니다. 암관리법 시행령에 의해 보건소 공무원들과 국립암센터, 국민건강보험공단이 수시로 전화하고 우편물을 보내는 이유는 홍보를 맡은 저희의 의무를 다하기 위함입니다. 우편물, 전화, 안내문배포, 경로당과 마을회관방문, 주민간담회를 통해 끝없이 홍보하는데도 불구하고, 모든 국민이 전부 인식하지 못하는 점이 안타까울 따름입니다. 암 진단을 받은 경우에는 모두들 '준' 박사님들이 되기도 합니다. 정말 간절하게 부탁드리고 싶습니다. 잊지 말고 정기검진 받으러 가시길 바랍니다. 우리나라 사망률 1위가 암이라는 사실에 겁을 내도 될 것 같습니다. 검진을 받을 수 있는 시기로 시간을 되돌리고 싶어 하는 암환자들을 생각해서라도 말입니다.

국가에서는 검진을 받고 치료까지 받은 환자에게 3년에 걸쳐 6백만 원까지 주고 있습니다. 국민이 건강해야 국가도 건강하기에 모두가 치료받고 완치하기를 바라는 것입니다.

다시 한번 말씀드리지만 5대암은 사망률이 높지만 조기발견만 하면 완치율이 더 높습니다. 조기검진만 정착이 되어도 우리나라는 암 사망률이 꼴찌가 될 것입니다. 6백만 원을 받아야 한다는 점을 떠나서도, 돈으로 환산할 수 없는 건강을 외면하지 말아 주세요. 지금 당장 검진 받으러 가시길 부탁드립니다.

## 열에 아홉은 살아나고
## '효자암'도 됩니다

낯선 사람이 보건소 문을 열고 들어오면 암환자인지 아닌지 금방 눈치를 챌 정도로 많은 암환자를 만났습니다. 그런데 분명히 암환자 같은데 웃으며 들어오는 분들이 있습니다. 왜 웃고 들어오셨을까요?

그분들은 조기진단을 통해 조기에 치료를 받았고, 이미 완치 직전이기 때문입니다. 조기검진과 치료를 통해 건강까지 좋아졌는데 보건소에서 치료비까지 지원해주니 웃는 얼굴로 들어오지 않을 수 없는 것입니다. 심지어는 그분들이 가족과 대화를 나누며 '효자암'이라고까지

하는 말을 들으면 저도 뿌듯하면서 보람을 느낍니다.

맞는 말입니다. '효자가 된 암'이 맞습니다. 암 진단을 받은 분들은 전보다 더 건강관리에 집중할 수 있고, 치료를 받고 나서는 마치 다시 태어난 것 같은 느낌이라며 주어진 삶에 감사하는 모습을 자주 보이기 때문입니다.

이 글을 읽는 선생님도 얼른 검진부터 받으러 가면 어떨까요?

세계보건기구WHO의 보고에 따르면 전 세계적으로 매년 약 1,000만 명의 새로운 암 환자가 발생하고 매년 약 600만 명이 암으로 사망하고 있다고 합니다. 이 숫자만 보자면, 상상이 잘 안 갈지도 모르겠습니다. 앞으로는 세계적으로 암에 걸리는 사람이 2020년에는 1,500만 명, 그중에서 1,000만 명이 암 때문에 사망할 것으로 예견되고 있는 실정입니다. 의료기술이 발전하면서 많은 질병이 정복되고 있지만 아직도 암은 우리 삶을 위협하는 가장 무서운 질병 중 하나입니다.

국립암센터에서는 "무섭기만 한 암, 그렇다면 암을 이기기 위한 효과적인 대처방법은 바로 정기검진"이라며 "정기 검진을 통해 암을 미리 예방해야 한다"고 지속해서 강조하고 있습니다. 같은 말을 반복하고 있다고 생각하실지 모르겠지만, 검진으로 인해 가장 궁극적인 해결 방법에 다가설 수 있는 것입니다. 암은 특별한 증상 없이 발병하는 경우가 대부분이기 때문에 조기에 발견하는 것이 중요합니다. 정기검진이 조기발견에 제일 나은 방법입니다.

특히 암에 걸린 가족이 있는 경우, 음주와 흡연을 하고 비만인 경우, 불규칙한 생활습관을 가진 경우, 간염 바이러스가 있는 40~50대인 경우라면 시기별로 검진을 받는 것이 좋은 방법입니다.

기본적인 암 검진은 위암, 대장암, 간암, 유방암, 자궁경부암 등 5대 암을 대상으로 실시합니다. 위암의 경우 만 40세 이상의 남녀가 대상이며, 증상이 없어도 2년마다 위장조영술이나 위내시경 검사를 선택하여 받는 것이 좋습니다. 대장암은 만 50세 이상의 남녀가 검진 대상입니다. 그리고 대장암 검진은 2012년부터 2년이 아닌 1년에 한 번씩 받아도 무료입니다.

간암은 만 40세 이상의 남녀 중 간암 발생 고위험군에 해당하는 간경변증이 있거나 B형 간염 바이러스 표면 항원이 양성인 사람, C형 간염 바이러스 항체 양성인 사람, 또 만성 간 질환이 있는 사람이 검진 대상입니다. 간

초음파 검사와 혈액검사혈청알파태아단백를 통해 진단을 하는데, 간암의 경우 공단 지정자에 한해 상하반기 연 2회 실시하고, 올해부터는 생애전환기에만40세/만66세 해당되면 C형간염 검사도 확대 시행하게 되었습니다.

유방암은 만 40세 이상 여성이 주 검진 대상이고 유방촬영술로 검사를 합니다. 자궁경부암은 만 20세 이상 여성으로 확대 시행하므로 시기적절한 건강검진을 통해 질병을 조기에 발견 · 예방하고 치료하는 것이 중요합니다. 또, 평소 지나친 흡연 등으로 폐 건강이 의심되면 1년마다 흉부촬영과 객담 검사를 통해 폐암 검진을 받아보는 것이 바람직합니다. 갑상선암은 국가암검진대상이 아니지만 최근 들어 급격히 증가하고 있는 암이며, 1~2년 간격으로 갑상선 초음파 검사를 통해 확인할 수 있습니다. 유방암 검진할 때 함께 받는 방법을 권합니다.

질병의 예방과 조기발견 그리고 지속적인 건강관리를 위해 무엇보다 '정확한' 건강검진이 중요합니다. 비용이 많이 발생하지 않을까 걱정하여 검진을 미루거나 받지 않는 사람들이 많습니다. 또 검진을 받지 않으려는 사람 중에는 혹시 큰 병이 발견될까 봐 두려워해서이기도 합니다. 하지만 검진을 늦게 받는다고 돈이 아껴지는 것도 아닙니다. 큰 병에 대한 두려움 때문에 검진을 미룬다면 얻는 것은 무엇입니까. 그것이야말로 가장 어리석은 판단이라고 생각됩니다. 큰 병이라고 하더라도 조기발견만 하면 간단하게 치료를 받을 수 있으니 결과에 대해 두려워할 필요가 없습니다. 호미로 막을 일을 가래로도 못 막는 상황을 만들지 마시기 바랍니다.

위암, 간암, 대장암, 유방암, 자궁경부암

위 5대 '암'종은 가장 많이 발생하는 암종이지만 건강검진을 통해 조기에 발견만 한다면 열 명 중 아홉 명이 살아나는 암입니다. 이렇게 완치 확률이 높으니, 국가까지 나서서 검진받으라고 하는 것입니다. 국가예산을 들여서 전화하고 각종 홍보물로 안내합니다. 성의 없이 그냥 검진을 권하는 것이 아닙니다. 검진 수검률을 국정평가항목으로 지정하여 공무원들이 앞장서서 국민 생명과 건강을 지키도록 중요한 과제로 삼았습니다. 국가암검진 대상자는 전액 무료검진이고, 일반인들은 특정암으로 분류하여 본인부담금 10%만 내면 됩니다.

검진율이 곧 생명률이고, 생명률이 높아지는 것에는 검진이 가장 큰 역할을 해내고 있습니다. 나와 내 가족이, 친척이, 친한 사람들이 검진으로 인해 열 명 중에 아홉 명이 생명을 지킬 수 있다고 생각해보세요. 나 혼자만 검진받을 일이 아닙니다. 손에 손잡고 검진받으러 가셔야 합니다. 그래야 사랑하는 사람들과 함께, 행복하게, 건강하게 오래 살 수 있습니다.

## 젊은 몸,
## 암세포도 젊다

젊은이들이 암에 걸리고 있습니다.

갑상선암은 2, 30대의 젊은 층에도 많이 나타나고 있는 것으로 보고되고 있습니다. 위암, 대장암, 유방암 등은 각각 갑상선초음파, 위 · 대장내시경, 유방촬영 또는 유방초음파 등으로 비교적 쉽게 조기 발견이 가능하고. 진단만 받으면 치료 성과도 좋은 편인데 왜 사망률은 늘어날까요?

이유는 하나입니다. 건강할 때 건강검진을 받지 않았다가 이상증세를 느끼거나 아플 때가 되어서야 병원에 찾아오는데, 이때는 이미 말기에 가까운 시기인 것입니다.

저와 동갑인 제 친구가 암 진단을 받자, 주변 사람들은 "젊고 건강하던데 무슨 암이야?"라고 했습니다. 올해 50살을 젊다고 생각하는 이때에 20대와 30대가 암에 걸렸다면 말도 안 된다고 생각하실 겁니다. 그런데 놀랍게도 요즘 젊은 층의 암 발생률이 증가하는 추세입니다. 3년 전, 인기그룹 멤버도 위암으로 사망했는데 그의 나이는 32세였습니다. 100세 시대라고 하는 요즘인데, 32세면 짧아도 너무 짧은 인생입니다. 암 환자의 연령대가 낮아지고 있는 이유는 무엇일까요. 그 이유와 예방법을 알아보겠습니다.

현재 암은 우리나라에서 사망원인 중 1위를 고수하고 있습니다, 보건복지부 국가암 등록통계에 따르면 우리나라 국민이 평균수명 80세까지 생존할 경우 평생 한 번이라도 암에 걸릴 확률은 34%로 나타났습니다. 남성은 3명 중 1명, 여성은 10명 중 3명이 걸릴 정도로 흔한 질병이 되었습니다.

덧붙여 요즘 이슈로 떠오르는 것은 젊은 층의 암 발병 증가율, 보건복지부 자료에 따르면 2010년 암으로 진단받은 환자 중 20~30대는 1만8천50명으로 10년 전 9천998명에 비해 2배가량 늘었습니다. 2010년 신규 암 환자

수가 20만 2천53명으로 전체 암 환자의 10명 중 1명 정도가 20~30대인 셈입니다. 주로 발병하는 암은 갑상선암이 가장 많고 위암, 대장암 순으로 나타났습니다.

젊은 층의 암 발병률이 빠른 속도로 증가한 이유는 무엇이겠습니까? 가시적인 이유는 잦은 흡연 및 폭음, 비만 인구의 증가, 가공식품의 소비증가로 인한 발암물질에 대한 노출증가 등으로 환경적 요인이 커서일 것입니다. 더구나 젊은 층은 암 검진을 제대로 받지 않고 가족들도 검진을 권유하지 않는 분위기입니다. 젊다는 이유로 말이지요. 활동이 가장 많은 시기라 바쁘다는 핑계를 대며 미루다 보니 몸이 아파도 병원을 잘 찾지 않습니다. 게다가 동네 약국에서 스스로 진단한 약을 처방받는 일이 있어 암 발견이 더욱 늦어지는 이유도 있습니다.

그래서 정부는 2016년부터 자궁경부암을 만 20세부터 국가암검진 대상으로 변경해서 실시하고 있습니다. 유방암은 만 40세부터이고, 여성의 경우 만 40세가 아닌 20세부터 건강검진 대상자입니다.

젊은 사람들은 아프거나 다쳤을 때 어르신들보다 치료가 빠른 것은 사실이긴 합니다. 그렇지만, 안타깝게도 암이 발병되면 세포증식도 빨라서 급격하게 전이되는 문제도 있습니다. 20~30대의 경우 노인이나 중장년에 비해 세포분화가 활발하기 때문에 암세포 역시 빠르게 분화해 암 진행속도도 급격하게 증가하는 것입니다. 젊은 암환자들 대부분 병세가 심각하게 악화된 상태에서 병원을 찾아옵니다. 암 진단을 받자마자 빠른 진행을 경험하는 젊은 사람들입니다. 위에서 언급한 가수도 처음 병원을 찾았을 때 이미 수술 가능 시기가 지난 위암 4기였다고 합니다. 또, 젊은 층에게 발생하는 위암은 노년층보다 조직분화도, 즉 암 세포의 모양이나 패턴이 나쁜 경우가 많다고 합니다. 이 때문에 암의 진행속도가 빠르고 다른 장기로 전이도 빨라서 위험한 상황이 됩니다. 그래서 젊은 사람도 검진을 꼭 받아야 하는 것입니다.

국립암센터 자료에 의하면 우리나라 위암 환자의 90%는 헬리코박터 파일로리균과 관련이 있다고 합니다. 이 균으로 인한 염증이 시간이 지나면서 암으로 진행하는데 이 과정에서 유전적으로 염증에 취약할 경우 암으로 빨리 진행될 수 있다고 말합니다. 그래서 가족 중에 암환자가 있는 집이라면 특히 젊었을 때부터 정기적 검진과 관심이 필요하다고 전하고 있습니다.

연구에 따르면 부모 중 한 명이 암에 걸렸을 경우 자녀가 암에 걸릴 확률은 최대 3배나 높고 부모와 형제, 자매 양쪽에서 암환자가 나온 경우는 발병 위험이 무려 13배나 치솟는 것으로 나타났습니다. 아무래도 가족은 같이 살기 때문에 환경 요인이 비슷해서 암에 걸릴 확률 중에 70% 정도는 작용한다고 봐야 합니다. 가족력이 있을 경우 건강검진항목에 암 검사를 포함하는 게 필수라는 점을 명심하셔야 합니다. 위암의 경우는 맵고 짠 음식을 즐기는 우리나라 특유의 식문화도 발병에 큰 영향을 미칠 확률이 높으니, 가족력이 있는 분들은 음식섭취도 신중하게 선택하는 게 좋겠습니다.

국민에게 암 검진의 중요성에 대해 인식시키고, 증가하고 있는 암 발생 및 암 사망률을 낮추고 국민건강증진을 도모하기 위하여 국민건강보험공단에서 암위암, 유방암, 대장암, 간암, 자궁경부암 검진사업을 실시하고 있어, 훌짝 나이를 계산해서 올해가 대상자이면 무엇보다 건강검진을 받는 게 우선이 되어야 합니다. 한 번만 받고 끝내는 것이 아니라 정기적으로 검진을 받아야 합니다.

우리나라는 조기검진과 치료법의 발달로 암 환자의 5년 생존율이 크게 향상되었습니다. 물론 아직 간암이나 췌장암, 폐암 등은 5년 생존율이 20%에 못 미칠 정도로 치명적입니다. 연령별 통계를 보면 암 발생률이 높아지는 시기는 30~40대며, 50대부터 급격히 증가 추세를 보인다고 합니다. 행복한 30~40대를 보내기 위해서는 20대부터 경각심을 갖고 정기검진과 생활습관 관리를 꾸준히 실천하는 게 중요합니다. 암은 어느 날 갑자기 우리를 찾아오는 불청객이 아닙니다. 꼭 알아두어야 할 것은 질병의 원인은 대부분 생활습관에 있다는 점입니다. 불규칙한 생활습관과 영양 불균형, 운동 부족, 연속된 스트레스 상황 등이 면역력을 저하시킨다는 점을 잊지 않았으면 좋겠습니다.

40세 미만의 젊은 남자들은 국가암검진 대상이 아니지만, 건강할 때 본인 스스로 건강한 생활습관을 실천하고, 부모님들도 자녀의 건강을 생각하면서 건강검진에 관심을 두길 바랍니다.

# 제가 암이 아니라 재가암

가정에서 치료를 받고 있거나, 요양 중인 암 환자들은 법에 따라 '암환자관리서비스'를 받을 수 있습니다. 이는 보건소에서 실행 중인 서비스입니다. 저를 포함한 보건직 공무원들은 지역에 있는 암 환자들을 찾아다니며 환자의 건강상태와 근황을 점검하고 기록하며 관리하고 있습니다. 더군다나 돌봐줄 가족이 없는 암 환자들은 더 신경 써서 챙겨야 한다는 생각으로 임하는 중입니다.

제가 초임지로 발령받은 진안군 부귀면 보건소에서는 특별한 만남이 있었습니다. 하늘이 내려준 게 아닐까 하는 의사선생님을 만난 후부터 재가암 환자들에 대한 애정이 남달라지게 된 것입니다.

초임발령 당시에 공중보건 의사로(공중보건의: 병역의무 대신 3년 동안 의사가 없는 시골에 들어가 진료 활동을 하는 의사) 근무하던 이완 선생님은 주말이면 경남 진주시 집으로 갔다가 월요일이면 전북 진안군의 작은 면까지 두 시간을 넘게 달려와 근무했습니다. 또 매주 월요일이면 도시락을 몇 개 챙겨 와서 독거노인들에게 가져다 드렸습니다.

선생님은 독거노인을 개인적으로 챙긴 것이었습니다. 경남 진주시에서 다니고 있는 교회가 독거노인들을 위해 도시락 봉사를 하고 있다며 추가로 신청해서 가져오는 거라고 했습니다. 공보의 내내 한 주도 빠짐없이, 비가 오나 눈이 오나 챙겨오는 선생님을 보고 환자와 가족만 감동한 게 아니었습니다. 저도, 함께하는 직원들도 모두 감동받았습니다. 선생님이 저에게 교회 다니기를 권유하기도 하셨는데, 당시에는 다니지 않았습니다. 일주일 중 맘 편히 쉴 수 있는 주말이기도 했고 교회를 다니고 싶은 생각은 전혀 없었으니까요.

저는 어릴 적부터 24절기 내내 정안수를 떠다 놓고

'비나이다 비나이다' 하면서 기도 드리는 엄마를 보며 자라서인지, 교회에 다니고 싶다는 마음은 없었습니다. 유교 사상에 가까운 저였지만, 사랑과 봉사를 실천하는 선생님을 볼 때마다 교회에 한 번 가볼까 하는 생각이 들기는 했었습니다. 선생님은 복무 중에 결혼을 했는데 임신한 사모님이 성경책을 베껴 쓰는 것을 보고 부창부수라는 말이 떠올랐습니다. 그 두꺼운 성경책을 베껴쓰기 하는 것은 상상할 수도 없었을 때였으니까요. 지금 생각해보면 아이가 생겨 태교하느라 그랬던 듯합니다. 몸소 봉사를 실천하는 아빠와 성경을 직접 따라 써 보는 엄마 사이에서 태어나는 아이는 꼭 훌륭한 어른이 되겠다는 생각이 들었습니다. 제가 결혼을 하면서 시부모님이 교회에 다니다 보니 저도 자연스럽게 따라가게 되었습니다. 선생님과 사모님에게 전화했습니다. 선생님은 크게 기뻐하며 성경책을 선물로 보내주기도 했습니다.

어느새 저 스스로 교회에 다니게 되었습니다. 일요일이 되면 그냥 의무감에 나가는 '선데이 크리스천'으로 교회를 다니지는 않았습니다. 새벽기도까지 나가서 제 아이를 위해 기도하고, 사람들이 건강검진을 많이 받게 해달라고 할 만큼 열성적으로 다녔습니다. 사실, 선생님의 제안이 아니더라도 저는 교회를 갈 운명이었나 싶습니다. 막연하게 교회를 거부하던 제가 선생님 부부의 모범적인 삶을 보았고, 그 기억이 교회를 다닐 밑거름이 되게 해 준 것입니다.

23년이 지난 지금까지도 선생님은 여전히 신앙도 좋고, 사람들에게 나눔과 봉사, 사랑을 실천하는 모습으로 지내고 있습니다. 대한민국에서 손꼽히는 비뇨기과 명의(현재 동남권 원자력의학원 근무 중)가 된 선생님에게 단순히 "치료 솜씨가 좋다"라고 하기에는 사람을 위하는 마음이 너무 큽니다. '의술은 인술이다!'를 실천하는 훌륭한 의사 선생님과 함께 근무했던 것을 제 행운으로 여기고 있습니다.

선생님이 싸 온 도시락을 들고 함께 환자 집에 방문했을 때, 할머니와 할아버지 손을 꼭 붙잡고 친손주처럼 대화를 나누고 얼른 쾌차하시길 기도해주던 모습도 생생합니다. 그렇게 초임지에서 훌륭한 의사 선생님과 독거노인들의 집을 방문해보던 제가 지금은 재가암관리사업을 담당하게 되어 감회가 새롭습니다.

재가암관리사업은 담당 공무원이 환자의 집을 방문해서 보건상담도(암예방과 식이요법, 재발방지, 전이예방)하고 정서적으로도 지지해주는 업무를 하고 있습니다. 필요하신 분들은 각 지역보건소와 암센터에 문의하면 됩니다. 그 외 재가암환자들을 위해 보건소와 암센터에서 여러 가지 사업을 하고 있습니다. 그리고 진안군의 경우에는 식사를 잘 하지 못하는 항암 치료나 방사선 치료 중인 환자들에게 영양식도 제공하고 있습니다. (매월 30 개입 1박스)

멀리 두 시간 넘는 거리까지 도시락을 챙겨오면서 사랑을 실천하는 의사 선생님처럼, 우리도 어려운 이웃을 위해 조금 더 관심을 갖는다면 지금보다 훨씬 건강하고 아름다운 사회가 될 것입니다.

# 레드서클,
# 핑크리본

세상에는 정말 다양한 이름의 모임이 있고, 사람들은 동아리나 클럽 서클활동 등의 다양한 형태의 모임에 참여하면서 친목을 도모하기도 합니다. 여기서 제가 소개하려는 서클은 조금 특별합니다. 모여서 친목을 다지는 것이 아니라, 자신의 건강을 위한 정보를 얻고 위로를 받는 서클입니다.

'레드서클Red Circle'이라는 명칭을 듣고, 붉은악마 단원을 모집하는 캠페인이냐고 묻는 사람도 있었습니다.

하지만 아쉽게도? 전혀 관계가 없습니다. 심지어는 모임도 아닙니다. 레드서클이란 “심뇌혈관질환 예방과 관리를 위한 건강 캠페인의 심벌로 건강한 혈관을 상징적으로 표현한 것”입니다.

붉은 악마도 아니고 가입할 수 있는 서클도 아니라 김빠진 분들이 계실지 모르겠지만, 관심을 두면 내 몸에 대해 더 잘 알 수 있는 기회를 찾으실 겁니다. 이런 캠페인을 하는 곳이 있으면 모임에 참여한다는 생각으로 들러보시고, 내 몸속의 혈관숫자를 알아보면 좋을 것입니다.

제가 입고 다니는 조끼에는 “자기혈관 숫자알기” 정보가 써져 있습니다. (혈압의 정상수치 120/80, 공복혈당 100 이하/식후혈당 120 이하)출근하면 바로 조끼를 걸치고 내방객을 만나거나 출장을 다닐 때도 입습니다. 이장님들과 회의 때도, 단체로 이동할 일이 있을 때도 입다 보니 몇몇 이장님들에게 일만 할 거냐며 핀잔을 받기도 합니다. 그래도 이렇게 입고 혈당과 혈압숫자에 대해 관심을 갖고 물어보는 분도 많아지고 홍보가 되니까 계속 입고 다닙니다.

그럼 심뇌혈관질환 예방을 위한 9대 생활수칙을 알아볼까요?

1. 담배는 No!
2. 술은 하루에 1~2잔
3. 싱겁게, 골고루, 채소 과일은 충분히
4. 운동하기
5. 적정 체중 허리둘레 유지
6. 스트레스는 줄이고 즐거운 마음으로!
7. 정기적 측정 (혈압, 혈당, 콜레스테롤)
8. 고혈압, 당뇨병, 고지혈증 꾸준히 치료
9. 뇌졸중, 심근경색증의 응급 증상을 숙지, 발병 즉시 병원으로!

평소에 관리를 잘한다고 자부하는 분들도 7번부터 9번 항목까지는 정기적으로 검사를 받아보시길 권합니다. 눈으로도 보이지 않고, 쉽게 알아차리기도 힘든 부분이니까요.

우리나라 5명 중 1명이 심뇌혈관질환으로 사망한다고 합니다. 이 통계는 사망률 1위의 '암' 다음으로 높은 사망원인입니다. 고혈압과 당뇨, 비만이 심뇌혈관질환에 해당되는 것이지요. 평소 생활 습관과 정기적인 혈압, 혈당, 콜레스테롤 수치를 측정하여 예방 관리하는 것이 중요하기 때문에, 내 몸의 혈압과 혈당숫자를 알아놓는 것이 필요한 겁니다.

어르신들은 그나마 막연하게라도 자신의 몸과 고혈

압, 당뇨에 대해 걱정을 하는 편인데, 젊은 사람들은 거의 인지하지 못하고 있습니다. 설마 내가 당뇨나 고혈압이 있을까 하면서 대충 넘어가는 경우가 많습니다. 거의 비만에 대해서만 신경 쓰고 있다고 봅니다. 실제로 조사를 했을 때 젊은 층에서 심뇌혈관질환에 대해 인지하지 못하고 있는 수가 과반수를 넘어섰습니다. 특히 여성들은 비만을 제외하고 당뇨, 고혈압, 고지혈증에 대해서 남성보다 인지하지 못하기도 합니다. 겉모습으로는 건강해 보일지라도, 보이지 않는 속도 한 번씩 들여다 봐주세요.

레드서클이 예방을 위해서 붙여졌다면 예방뿐 아니라 이미 진단받은 환자들을 위한 모임과 단체들도 있습니다. 대표적으로 '핑크리본'이 있는데요, 여성들의 유방암 예방과 조기검진의 중요성을 알리는 역할까지 하고 있습니다.

핑크리본은 1991년 가을에 유방암 생존자들을 위한 뉴욕의 마라톤 경주에서 참가자들에게 핑크색 리본을 나눠주면서부터 시작되었습니다. 유방암에 대한 인식확산과 함께 예방과 조기검진에 대한 캠페인이었습니다. 우리나라도 2001년부터 대한암학회가 본격적으로 참여하면서 핑크리본 캠페인을 활성화시켰습니다. 목적은 역시 유방암 예방에 대한 대국민홍보였죠. 핑크리본처럼 세계적으로 유명한 캠페인과 모임만 있는 게 아닙니다. 모든 암은 진단받은 환자들이 모여 서로 정보를 공유하는 모임과 블로그가 있습니다. 예방보다는 민간치료와 좋은 음식 이야기가 많이 나오고 남은 삶을 의미 있게 살아보자고 하는 의견들이 오가기도 합니다. 인터넷에 '환우 모임'이라고만 검색해도 나옵니다. 거의 모든 종류의 암 환자 친구들의 모임입니다.

암의 종류별, 지역별, 병원별로도 구분이 되어 있고 오프라인모임도 있습니다. 환자들이 직접 경험하면서 좋았던 사례들을 발표하기도 하고 취미활동도 합니다. 때로는 환우 모임에서 활동을 하던 회원이 하늘나라로 갔다는 소식을 들으며 슬퍼하기도 합니다.

검진을 받고 암 진단까지 받은 후에 적극적으로 대처하기 위한 수단으로 환우 모임에 가입하는 사람들이 늘고 있습니다. 그만큼 '암'은 진단과 동시에 사형선고 받았다는 과거와는 달라졌습니다. 암 진단을 받고 더 이상 암세포가 확산되는 것을 막기 위해 정보를 공유하는 사람들이 늘어났고 완치에 이르게도 하는 것입니다.

레드서클을 잊지 마시고, 내 몸의 혈관숫자 체크하는 것도 잊지 마시고 주변에 암환자들이 있으면 지역에 있는 환우들 모임을 소개해주는 것도 기억해두세요.

## 무자격 검진홍보요원들

"자취할 때 내가 라면만 끓여줘서 오빠가 암이 걸렸나봐. 너무 미안하다."

한 지인의 오빠는 암 선고를 받고 입원해서 투병 후에 돌아가셨습니다. 그런데 장례식을 마친지 한참이 지났는데도 지인이 자주 했던 말입니다. 시골에 살다가 대학생이 된 오빠와 함께 자취생활을 했고, 오빠에게 라면을 자주 끓여줬다고 했습니다. 대학을 졸업한지 이미 수십 년도 더 지났고 각자 결혼까지 하고 아이들도 있는데도, 여동생은 먼저 떠난 오빠에게 죄스러운지, 자신의 탓으로 돌리는 것입니다. 그리고 라면을 자주 준 것 외에도 더 슬프게 하는 말이 있었습니다.

"내가 오빠 건강검진만 제 때 받게 했어도…."

뒷말을 잇지 못한 채 펑펑 울고 맙니다. 건강검진을 언급한 이유를 직장 동료들과 가족들은 잘 알고 있습니다. 지금은 퇴직했지만 당시에 보건소에서 계장으로 근무할 때였으니까요.

보건소는 국정평가에 반영되는 '국가암검진사업' 실적을 위해 건강검진 받으라는 말을 1년 내내 입에 달고 산다고 해도 과언이 아닐 정도로 강조합니다. 이장님을 포함해 주민들이 건강검진 이야기 좀 제발 그만하라고 할 정도입니다. 그런데 희한하게도 저를 포함한 다른 공무원들 모두 집에서는 벙어리가 되나 봅니다. 저 역시 낮에 지치도록 검진 받으라고 말했고 몸도 피곤해서인지 가족과 지인들에게는 따로 강조하지 않았습니다.

당시 계장님의 오빠는 50대 중반이었으니 모두가 충격받을 수밖에 없었던 겁니다. 그 일이 있고난 후부터 군청과 보건소 직원들은 가족들부터 건강검진을 받게 했습니다. 저 역시 남편과 시댁식구들, 부모형제들에게 말했고 자매들의 시댁식구들에게도 빨리, 꼭 검진 받으라고 했습니다.

"보건소 다니는 여동생 있으면 뭐하냐, 지 오빠한테도 건강검진 받으라고 안 하는데……."

선배 언니는 친정어머니한테도 많이 혼났다고 했습니다. 언니는 건강검진에 관한 책을 쓴다는 말에 자신의 이야기를 실명을 실어서 사람들에게 경각심을 주라고 말했습니다. 보건소 직원은 반드시, 꼭, 가족들부터 챙기라고 말이죠. 언니의 말대로 모두가 경각심을 가져야 합니다. 언니네 오빠도 평상시에 건강했으니까요. 자신은 건강하다고 하는 분들의 가장 큰 실수가 '설마 내가? 이렇게 건강한데' 하며 결국에는 병을 키우고 병원에 가는 것입니다. 안타깝게도 때는 이미 늦어서 말기에 가까워질 수 있습니다.

다른 보건소에서 근무하는 선배는 지인이 위암으로 사망했는데, 그는 평소에 건강을 과신한 경우였습니다. 안정된 직장에 다니면서 매월 1회 이상 마라톤대회에 참석했고 하루도 거르지 않고 조깅을 했고 평생 한 번도 병원에 가지 않았다는 그는 검진을 받지 않았습니다. 직장에서 양질의 건강검진서비스를 해준다고 해도 '그런 것은 몸 약한 사람들이나 받는 것'이라며 본인은 받지 않았다고 했습니다. 그랬던 그가 며칠간 소화불량으로 짜증 내다가 약으로는 안 되겠다 싶어 병원에 갔습니다. 그리고 이미 위암 말기가 되었다는 판정을 받고 6개월도 살지 못한 채 세상을 뜨고 맙니다.

계장으로 있던 언니와 선배와 동료들, 그들의 지인들은 검진파트와 관계없이 모두가 건강검진전도사가 되었습니다. 가족에게 그런 아픔이 찾아오기 전에 미리미리 전도사가 되었다면 좋았을 걸 하는 평생의 후회가 남았습니다.

동향면 이장님 한 분이 조기검진해서 치료를 받고 완치한 적이 있었습니다. 보건소에서 자주 연락하고 귀찮게 했더니 미루다가 결국 검진을 받았는데 위암을 조기발견 한 것입니다. 안천면의 할머니도 보건소 직원의 권유로 검진을 받았다가 대장암 조기발견과 치료를 했습니다. 이장님과 할머니가 살고 있는 지역의 검진율이 높아진데다가 두 분은 보건소의 '검진전도사'가 되어주기도 했습니다. 독자님들도 건강검진전도사가 되었으면 좋겠는데요.

국립암센터, 국민건강보험, 보건소가 공식홍보자격이 있지만 독자님들도 검진전도사가 되어주세요. 무자격으로 신고당하는 일도 없을뿐더러 이웃의 건강까지 챙겨주는 생명의 은인으로 기억되실 겁니다.

## 50배 높아지는 대장암 나이

"할머니, 이건 똥 담는 거니까 된장인 줄 알고 드시면 안돼요!"

"내가 바보간디? 할매를 놀리네."

친한 할머님들에게 플라스틱으로 된 작은 대변통을 주었을 때 했던 말입니다. 이렇게 농담 섞인 말을 하고 나면 서로 웃게 되면서 분위기도 한결 부드러워집니다.

대장암 검사를 가장 쉽고 보편적으로 할 수 있는 것이 대변 검사입니다. 대장암은 50세가 넘으면 이전보다

50배나 높게 나타날 정도로 위험한 병이기도 합니다. 그래서 다른 암은 2년 주기로 검진을 하는데 대장암만큼은 2012년부터는 1년에 한 번씩 받는 것으로 변경되었습니다. 대장암은 어느새 우리나라 사망률 1위로 올라서버렸습니다. 육류를 많이 섭취하는 서양인들에게 많이 발병했던 병이라 '서구병'이라고 불리기도 했고, 비싼 음식을 먹는 사람이 걸린다고 '귀족병'이라고도 불린 적이 있는데, 이제는 서구병도 귀족병도 아닌 '한국암'과 '평민암'이 된 것입니다.

검진일자가 잡히면, 담당자들이 일주일 전에 대변통을 나누어 주면서 주의사항을 안내합니다. 이때는 전 직원이 비상이 되어 대변통이 나누어집니다. 이장님들에게 협조요청도 합니다. 한 집도 빠짐없이 전달하기 위해서입니다. 어르신들 중에는 날마다 대변을 못 보는 분들이 많습니다. 나이가 들어 괄약근도 약해지고 변비도 금방 생겨서 며칠 만에 한 번씩 보게 되는 것이죠. 그만큼 대장기능이 약해진 것입니다. 검진당일에도 대변을 못 보는 어르신들이 계시기에 미리미리 준비하는 것입니다. 요즘은 시골도 거의 양변기가 설치되어 있어서 채취방법까지도 상세하게 안내해줘야 합니다. 우선 욕실에 신문지를 깔거나 욕조 바닥에서 일을 본 후에 대변 처음과 중간 끝 지점을 밤톨사이즈 정도로 담아서 냉장고나 시원한 곳에 보관해야 한다는 것도 지켜주셔야 합니다.

"처음부터 내시경으로 해주면 안되나요?"하고 물어오는 분들도 많습니다. 하지만 이 검사는 전 국민을 대상으로 하고 있기에 내시경검사가 쉽지 않습니다. 크게는 안전, 비용, 검사인력 관련 문제로 인해 현재로서는 대변검사가 최선입니다. 먼저 전 국민을 상대로 내시경검사를 실시하다보면 개인에 따른 크고 작은 의료사고 발생이 우려되기에 비교적 안전한 방법을 쓰는 것입니다. 또, 이상 증세가 없는 환자에게 매년 고가의 내시경검사를 하기 어려운 실정이고, 그 많은 사람들을 검사할 인력과 시설 또한 부족해서입니다. 대변검사를 1차로 한 이후에 이상이 발견되면 정밀검사로 대장내시경을 권하고 있습니다.

50세가 되면 대장암 발병율이 50배 높아진다는 말을 듣고, 저 역시 놀랐습니다. 제가 올해 50세가 되는 지라 대장암이 신경쓰이지 않을 수 없는 것입니다. 대장암 환자수를 줄이고, 조기치료만으로 병을 잡기 위해 보건복지부가 1년에 한 번씩 대장 검사를 실시하게 되었다는 것을 잊지 말아주시길 바랍니다. 또한 검진 후에 대장암으로 진단받았다고 미리 좌절할 필요는 없습니다. 조기에 발견한 것만으로도 완치 가능성이 높으며, 서구식으로 변해버린 식습관도 조절을 해나가면 됩니다. 가장 중요한 건 과식을 해서는 안되며, 백미나 흰 빵 대신 잡곡밥과 통밀빵을 먹고 채소나 해조류, 버섯 섭취량을 늘려야 한다는 것입니다. 반대로 소고기나 돼지고기, 햄 · 베이컨 · 소시지 등의 육가공식품 섭취는 줄여야 합니다. 숯불에 굽거나 탄 고기, 그리고 음주를 피하면 더욱 좋습니다. 육류를 완전히 끊어버리는 것은 아니고, 닭고기나 흰 생선살로 대체해서 먹는 것이 좋다는 말입니다.  어찌 보면 심혈관 질환 예방수칙과 별반 다를 것이 없습니다. 다만 실천이 어려운 것입니다.

이름도 무서운 대장암입니다. 이름대로 누가 대장이 아니랄까봐, 암사망률 1위를 달성했습니다. 그렇다고 하더라도, 조기에만 발견한다면 대장이 아닌, 졸병암과 같습니다. 정기검진으로 대장암을 이길 수 있습니다.

대장암의 정기검진 기간이 언제인지 다시 한 번 묻겠습니다.

대답하셨나요? 네, 1년에 한 번씩입니다. 다음 주도, 내일도 아닌 오늘 당장이라도 검진 신청이 가능합니다. 병에 걸리지 않는, 건강한 대장이 되시길 바랍니다.

# 쥐도 새도 나도 모르는

# 간암

철저하게 자기관리를 잘하는 동료가 있었습니다. 보건직은 아니지만 면사무소에서 계약직으로 근무하면서 날마다 만나고 함께 일하는 동료였는데, 술과 담배를 포함해 해롭다고 생각되는 음식들을 자제하고 정기적으로 병원에 가서 진료도 받았습니다.

그는 25세가 되었을 때 간염이 있다는 진단을 받았고, 이후부터 더 조심스럽고 세심하게 건강 관리를 하게 되었다고 말해왔습니다. 안타깝게도 간염 진단 후에는 보험에 가입할 수 없었습니다. 계약 전에 알려야 할 사항에 체크된 이후로는 보험회사들이 가입을 거절했던 것이었죠. 더 안타까운 것은 그가 간암이 걸렸고 암의료비지원도 받을 수 없었다는 사실입니다.

절차대로 암의료비 지원을 받으라고 하며 그렇게 강조하는 제가, 동료를 챙겨주지 않았느냐고 화내실지도 모르겠습니다. 제가 왜 안 했겠습니까. 누구에게라도 건강검진에 대해 말하는데, 그가 간염 진단자라고 해서 더 강조했습니다. 헌데 그는 자신의 몸은 자신이 잘 알고 있으며 정기적으로 다니는 병원이 있으니 따로 검진을 받지 않아도 된다고 큰소리를 친 것이었습니다. 간염 진단자들이 6개월에 한 번 정도를 검진을 받는데, 자신은 6개월에 2회나 3회까지 병원에 간다며 걱정 없다고 했습니다. 그래도 국가암검진기관에서 순서에 맞게 검진받아보라고 했지만 소용없었습니다.

그는 다른 지역 부서로 옮겨 갔는데, 어느 날 몸이 안 좋아 가까운 병원에 들렀다가 간에 의심소견이 있다는 말을 들었습니다. 그리고 서울 아산병원에 가서 간암 2기 진단을 받게 됩니다. 알아서 관리 잘하고 있다며 큰소리치던 그는 할 말을 잃었습니다. 쥐도 새도 모르고, 자신도 모르게 암이 찾아온 것입니다.

'침묵의 장기'로 유명한 것이 간입니다. 쥐도 새도 나도 모르게, 아프다고 신호도 보내지 않습니다. 간은 우리 몸 안에서 가장 큰 장기입니다. 평균 1kg에서 1.5kg 정도의 무게입니다. 간은 저 혼자 끝까지 말없이 참다가, 죽을 만큼 아프면 그때서야 표시를 냅니다. 참을성도 많고 좋다고요? 병원에 달려가면 너무 늦었다고 의사가 고개를 젓습니다. 간을 쉽게 믿지 말고, 항상 의심의 눈초리를 보내야 합니다. 덩치도 크고 참을성도 많은 간은 우리 몸속에서 5백여 가지에 달하는 많은 일을 합니다.

제일 중요한 것은 해독과 분해 작용입니다. 나쁜 독성물질이나 노폐물들을 무해하게 바꾸고 분해합니다. 하루에 1리터씩 쓸개즙을 생산해서 소화를 돕기도 합니다. 우리 몸 안에 공장이 하나 있는 것이죠. 청소부와 공장장 역할까지 해냅니다. 그리고 우리 신체 중에 유일하게 재생능력이 있어서 일부를 잘라낸다고 해도 다시 원상태로 돌아옵니다. 그래서 간은 생체이식이 가능하기도 합니다. 간은 자신의 80%가 손상될 때 까지도 참아서, 결국 우리 몸을 최악으로 몰고 갈 수 있기도 합니다. 평생 헌신하는 것 같지만, 어느 순간 배신을 하면 '간암' 선고까지 받게 되는 것입니다.

하지만 간이 배신하기 전에 내 편으로 만들 수 있는 방법이 당연히 있습니다. 검진만 잘 받으면 80%까지 손상되기 전에 발견할 수 있다는 결론이 나옵니다. 조기발견 하면 덩치도 크고 장기 위치도 접근이 쉽고 혈관의 분포도 독립적이어서 수술로 완치될 수 있다는 전문의사들의 발표도 있습니다.

우리 몸을 위해 많은 일을 하는 '간'의 고마움을 잊지 않고 친하게 잘 지내면서 최대한 아껴주시기 바랍니다. 특히 과음과 과로만 조심하셔도 간은 쉽게 배신하지 않을 겁니다. 앞서 나온 동료는 간경화를 앓고 난 후에 관리를 잘했지만 간암까지 진행이 되어 슬프고 안타깝습니다. 군대 갔던 아들에게서 간을 이식받았는데, 의료비 지원은 하나도 받지 못했습니다. 저 역시 속이 많이 상했습니다. 간 이식 수술을 받은 후 출근해서 일하고 있지만 암 발병 이후로 몸도 마음도 많이 약해지는 것은 어쩔 수 없나 봅니다.

우리 몸의 장기는 어느 것 하나 소중하지 않은 게 없지만, 특히 간은 생각보다 더 크고 중요한 역할을 해주고 있습니다. 오직 내 몸만을 위해서죠. 간이 80%까지 아프기 전에 보내오는 신호들을 말씀드리겠습니다.

1. 몸에 가려움증을 잘 느낀다.
2. 체중이 급격히 줄어든다.
3. 몸에 피로감을 느끼고 전신쇠약감을 느낀다.
4. 눈의 흰자위나 피부톤이 누렇다.
5. 가슴주위 붉은 반점이 보인다.
6. 구토 및 식욕이 감퇴된다.
7. 오른쪽 옆구리 혹은 늑골에 통증이 있거나 붓는다.
8. 코 주위에 혈관이 보인다.
9. 손톱이 잘 깨지고 색이 하얗다.
10. 코피가 난다.
11. 성기능 장애를 느낀다.
12. 소변 색이 진하다.

우리나라 '간암' 사망률은 2위, 3위를 차지할 정도로 높습니다. 간을 사랑하면 몸 전체를 사랑하는 것입니다. 국가검진기관에서 정기적으로 검진을 받아, 무섭지만 고마운 간을 잘 지켜야 합니다.

# 2장

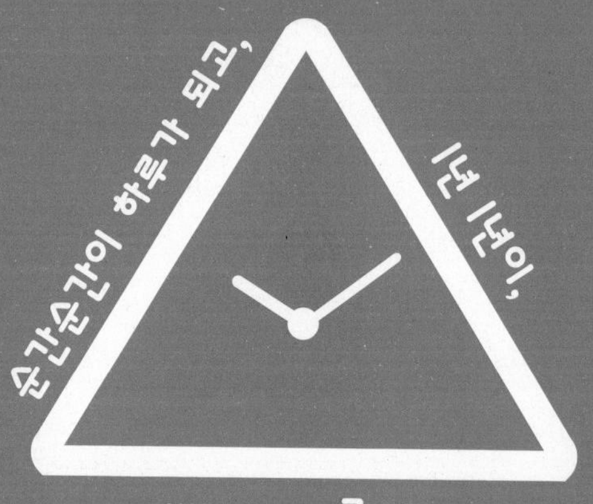
순간순간이 하루가 되고,
1년 1년이,
26년이 되고....

# 불면증과 바꾼 1위

새벽 두시에 핸드폰 벨소리가 울렸고, 반사적으로 재빨리 전화를 받았습니다. 그 시간에 전화를 걸 사람은 아들 말고는 없다는 걸 이미 알고 있었기 때문입니다.

"엄마, 나 한국에 돌아갈 거야. 당장 갈 거야. 빨리 비행기 표 예약해줘!"

자다 깨서 들리는 아들의 울먹이는 목소리에 저는 곧바로 대답할 말을 찾지 못하다가, 겨우 대답했습니다.

"무슨 일인지 먼저 말해봐. 아무리 빨리 해도 바로는 못 와. 일단 조금만 기다려봐!"

잠은 완전히 깨버렸고, 아들을 겨우겨우 달래놓으니 나중에는 얌전한 흐느낌 정도만 들려왔습니다. 겨우 달래서 전화를 끊은 후에는 제 차례가 되었습니다. 참고 있던 울음을 터트리며 대성통곡을 한 것이죠. 아들은 한국에 오고 싶어 하고, 저도 마음속으로는 누구보다 빨리 아들을 데려오고 싶었습니다.

아들이 중학교 1학년이 되었을 때, 캐나다로 이민을 갔던 남편의 바로 아래 여동생이 아들을 초청했습니다. 캐나다에서 유학을 해보는 게 어떻겠냐는 제안을 받았고, 준비도 대책도 없었지만 좋은 기회라는 생각이 들었습니다. 어린 아들의 의견을 물었더니 가보고 싶다고 해서 결국 유학을 결정했습니다. 제가 멀리 해외에 사는 유학생의 엄마가 되는 것이었습니다.

인천공항에서 떠나는 날이 되어서야 아들과 저는 얼마나 대책 없이 유학생활을 결정하게 되었는지 실감했습니다.

"엄마 나 진짜 떠나는 거야? 안 가면 안돼?"

"지금이라도 가기 싫으면 안 가도 돼."

엄마와 아들의 대화인데, 중학교 1학년과 그보다 어린 여동생의 대답 같았습니다. 하지만 가지 않아도 된다는 제 말은 진심이었습니다. 아들은 이내 말했습니다.

"해외여행을 좀 길게 다녀온다고 생각할게. 지리산 청학동에서 2주간 있을 때보다는 낫겠지."

철이 너무 들어 엄마보다 어른스러운 대답이었죠. 외동아들로 자라면서 자립심 없이 부모에게 기대면 어쩌나 하는 마음에, 초등학생인 아들을 지리산 서당으로 보냈던 적이 있습니다. 친정아버지가 여섯 살 때 천자문을 완벽히 배웠다는 이야기를 들었고, 오빠가 아버지로부터 한학의 가르침을 받은 기억이 있어 나름대로 결정을 내린 것입니다. 어린 아들에게 지식보다 예의범절, 인성교육, 시골체험을 익혀주고 싶었습니다. 저는 까맣게 잊고 있던 일인데, 아들은 생생하게 기억하고 있었던 모양입니다. 지리산 자락에서 서당 생활을 하는 2주 동안은 연락할 수 없었습니다. 그때가 더 악몽이었다는 듯이 말하고, 지금 떠나는 길은 별거 아니라는 것처럼 말하는 통에 가슴이 아팠습니다. 어찌해야 할지를 모를 때 담담하게 말하는 어린 아들이 저보다 낫다는 생각과 대견하게 잘 커 줬다는 생각을 했습니다. 캐나다로 떠나기 직전 공항에서야 아들의 또 다른 모습을 보게 된 것입니다.

그렇게 아들은 떠났고 이때부터 제 생활은 완전히 엉망이 되었습니다. 아들은 더 힘들었겠지만 당장 제가 너무 힘들었습니다. 아들이 해외여행을 간 거라고 생각할 여유는 생기지 않았던 것이었죠. 언젠가는 아들이 외국으로 가서 공부할 수도 있겠다는 기대를 하긴 했지만 그 '언젠가'라는 시기는 고등학생 때이거나 대학생 때였습니다. 그 정도로 어렴풋이 상상만 했었습니다. 그게 중학교 1학년 때 보낼 거라는 생각은 전혀 상상도 하지 않았던 것입니다. 온종일 아들 생각만 하다가 지친 몸으로 퇴근해서는 잠을 푹 자고 싶었지만, 혹시나 캐나다의 낮 시간에 걸려올 아들의 전화가 있을까 해서 핸드폰도 끄지 못하던 날들의 연속이었습니다.

당시로써는 늦은 결혼과 늦은 나이였는데 "임신했다"는 의사의 말을 들었을 때부터 행복했습니다. 세상에 나올 제 아이는 다른 아이들보다 잘 키워보겠다는 욕심을 냈습니다. 온갖 육아 책들을 읽으며 만반의 준비를 하고 실천했던 기억들도 생생합니다. 제가 읽은 책들은 지식에 국한된 것만이 아니라, 사람이 살아가면서 갖춰야 할 지혜와 바른 인성에 관련된 내용이었습니다.

책에서는, '아이는 나의 소유물이 아니라 하나의 인격체이며, 공부를 강요하지 말라'는 내용이 있었는데 저는 그 부분을 전적으로 공감하며 실천하는 데 앞장섰습니다.

커가는 아들을 보면서 행복했고 아들을 잘 키울 수 있다는 자신도 생겼습니다. 주말이면 만사 제치고 아들과 함께 들로, 숲으로, 산과 바다로 나갔습니다. 지역마다 열리는 축제장과 도서관, 각종 체험관과 캠프장을 찾아다녔습니다. 아직 어리기만 한 아이의 유학 얘기가 나오기 전까지였죠. 고모가 말하는 조기 교육이 중요하다는 걸 느꼈고, 다른 나라에서의 경험 또한 아들의 미래에 도움이 될 거라 믿었습니다.

아들도 13살 답지 않게 엄마 품을 떠난다는 걱정은 접어두고 넓은 세상으로 가보고 싶다고 말했습니다. 요즘 아이들은 아이들이 아닌 것 같았습니다. 유학 결정은 제가 만든 결과이기도 합니다. 아들을 너무나 아끼는 나머지 저와 동등한 인격체로 대하며 의견을 물었고, 아이가 자신의 의견을 말해서 저는 존중했던 것입니다.

문제는 저에게 먼저 찾아왔습니다. 평일에 퇴근하

고 아들 없는 집을 향하는 건 고역 그 자체였습니다. 밤에도 자다 깨기를 반복했고 가위에 눌려 벌떡벌떡 일어나는 일이 잦아졌습니다. 제 몸과 머리는 아수라장이 되었고 수시로 떠오르는 아들의 얼굴, 목소리, 추억 때문에 밤잠을 이룰 수 없었습니다. 아들 없는 주말은 마치 존재하지 않는 듯했습니다. 해가 뜨자마자 이른 아침을 먹고 아들과 돌아다니다가 들어오는 일은 더 이상 없었으니까요. 드라이브하고 온갖 곳을 구경하던 일들은 그저 기억 속에만 남아있을 뿐이었습니다.

같은 장소에 가도 처음 보는 곳 같이 낯설고 눈에 들어오지도 않았습니다. 나날이 맥은 빠져가고, 일은 손에 안 잡히고 이러다 공무원 신분을 박탈당하는 것은 아닌지. 우울감은 깊어지고 힘들고 괴롭기만 했습니다. 고통을 안겨준 그 유학결정이 미워지기 시작했습니다. 모두가 함께 이야기 나누고 결정한 유학길인데, 급기야 고모와 남편과 아들까지 미웠고 이렇게 힘들어할지도 모를 것을 예측하지 못한 제가 제일 미웠습니다. 당장에 사표를 내고 아들을 만나러 캐나다로 떠나고 싶었던 게 한두 번이 아니었습니다.

그러던 제가 아들을 잊기로 마음먹었습니다. 잊지 않으면 힘들어서 버틸 수 없는 게 불 보듯 빤했기 때문입니다. 이렇게 지내는 건 저에게도 아들에게도 도움이 되지 않는다는 걸 깨달았습니다. 서른둘의 늦은 나이에 결혼해서 얻은 소중한 아들이었고, 제 전부와 같던 아이를 멀리 보내고 잊는다는 것은 불가능한 일이었지만, 그래야만 했습니다.

저는 간절하게 상황이 달라지길 바라고 또 바랐습니다. 이런 제 모습을 주변 사람들과 아들이 알게 된다면 한심하게 여길 거라는 생각이 들었습니다. 적어도 아들과 통화할 때 '아들아! 엄마는 씩씩하게 지내면서 네 생각하며 열심히 일하고 있단다. 너랑 만나는 날 엄마가 얼마나 열심히 살았는지 자랑하려고. 잘 지내고 있으니 너도 잘 지내고 있으렴!' 하고 말해주고 싶었습니다. 아들을 위해서라도 반드시 마음을 고쳐먹어야 했지만, 눈물 바람은 한동안 계속되었습니다. 증발한 주말을 찾아오기 위해, 눈물바람을 멈추기 위해, 근무지 변경을 요청해서 일에 좀 더 신경을 쏟기로 했습니다. 그렇게 국가암관리사업을 시작하게 되었습니다.

새로운 업무를 파악했습니다. 제가 맡은 업무는 단순한 일이 아닌 생명을 살리는 일이었습니다. '국가암관리사업'의 소중한 가치를 발견하고 집중적으로 업무에 매달리기 시작했습니다. 이 세상 누구라도 암관리사업을 맡게 되면 성직자 같은 마음이 생길 정도의 숭고한 일이었으니까요. 어느 정도 업무가 익숙해진 다음에는 주말 근무까지 자원했습니다. 시골은 면민의 날이나 행사가 주말에 몰려있으니 한꺼번에 많은 사람들에게 효과적으로 홍보할 수 있겠다고 판단했습니다. 주말근무는 남직원들도 꺼려했지만 직접 발로 뛰었습니다. 예상대로 면민들에게 건강검진의 이해와 필요성을 제대로 많이 알리게 되었습니다. 홍보와 함께 업무 처리에 집중했습니다. 254개의 보건소 중 중위권에 머물던 시골 보건소는 놀라운 속도로 순위를 갈아치우더니 전국 1위의 건강검진보건소라는 영예를 안게 되었습니다. 그것도 2년 연속으로. 여러 표창을 받았고 보건복지부장관상까지 받았으니 저조차도 놀라운 일이었습니다.

사실 이렇게 좋은 성과가 나온 것은 혼자가 아닌 팀 전체의 노력이 있기에 가능했던 일인데, 담당자가 저였다는 이유로 받게 되어 팀원들에게 많이 미안하고 고마운 마음입니다.

전국의 시도보건소에서 전화가 걸려왔습니다. 노하우를 알려달라고 했고 특강요청도 들어왔습니다. 바쁘기도 했고 외부로 특강을 갈만한 실력도 안 되어 전화상으로 그 내용을 말해 주는 것으로 마무리 했습니다. 전국의 보건직 공무원들이 수검률을 높이기 위해 노력하고 있다는 사실이 다행이고 감사했습니다. 더불어 제가 하는 일이 더 자랑스러워졌으니까요.

열심히 일하던 저에게 주말이 다시 찾아왔습니다. 답답하지도 않았고, 우울하지도 않은 진짜 주말. 행사장에서 들리는 주민들의 왁자지껄한 소리와 즐거운 홍보로 편안하고 깊은 잠에 빠질 수 있었습니다. 제가 건강해지자, 어르신들의 건강도 좋아지게 되는 것 같다는 생각도 들었습니다. 건강검진으로 조기에 발견한 큰 병들까지도 빨리 알게 되면서 치료와 완치, 완화로 이어졌습니다. 아들 바보로 살았던 제가 수많은 어르신의 효녀 딸이 되었고 효부 며느리가 되었습니다.

그저 그리움에 빠져 계속 힘들게만 지냈다면 저는 어떻게 되었을 것이며, 그런 엄마를 보게 된 아들의 학창 시절은 또 어땠을까요. 꿈속에서만 만날 수 있던 아들에게 미안하기만 하던 제가 지혜롭게 변했습니다. 아들에게 자주 했던 말이 생각났습니다.

"최선을 다했다라는 말은, 어떤 일에 열심히 매달려서 본인 스스로 생각해도 감동적인 눈물을 흘릴 수 있을 때 하는 것이다."

아들에게 이론적인 말은 자주 했어도 스스로 감동 받은 건 처음이었습니다. 이제야 아들에게 최선을 다해 얻은 결과를 당당하게 말해주고 싶었습니다. 전국 1위의 성적 결과보다 더 값진 이야기를 말이죠. 이런 성과와 제 안의 변화는 아들과의 약속을 지키기 위한 몸부림이었으니 제가 잘해낼 수 있던 일들의 중심에는 아들이 있었음을 고백합니다. 아들 앞에서도 자랑스럽고 스스로 기특하고, 다른 사람들에게 좋은 영향을 끼칠 수도 있었으니까요. 불면증에 시달리고 있다면 그 근본적인 이유를 알고, 문제를 해결해서 가치 있는 일에 매진해 보길 권합니다. 제가 바로 그 변화된 모델이 되었다고 말씀드릴 수 있으니까요.

# 쌀 다섯 가마니와 바꾼 5분 건강법

"야가 그 쌀 다섯 가마니짜리여? 많이 컸네. 지금은 멀쩡하고?"

친척들과 고향마을 사람들은 저를 '쌀 다섯 가마니짜리'라고 불렀습니다. 어릴 적엔 왜 그렇게 부르는지 잘 몰랐는데 알고 보니 제가 어릴 적에 집안 살림을 휘청하게 한 장본인이었다는 것입니다. 엉금엉금 기어 다니는 어린 제가 지게 작대기를 건드렸는데, 지게 위 고구마 자루가 쏟아지면서 제 고관절이 부러지는 사고가 났습니다. 아직 뼈가 제대로 형성도 되기 전의 어린아이에게 눈에 보일정도의 이상이 생긴 겁니다. 집안은 비상이 걸렸고 엄마는 4킬로미터 떨어진 진안읍까지 저를 업고 뛰었다고 했습니다. 다시 40킬로미터 떨어진 전주시까지 달려가 뼈 전문병원에서 치료를 받았습니다. 그때 치료비로 쌀 다섯 가마니를 주었다고 해서 제 별명이 쌀 다섯 가마니가 된 것입니다. 50년 전의 쌀값은 50배가 뛰었다고 하니 대충 계산해 봐도 큰 거금이었을 것입니다.

쌀 다섯 가마니짜리가 지금은 168센티의 큰 키로 변했습니다. 말라보이지도, 뚱뚱해 보이지도 않아서 사람들로부터 부럽다는 말을 많이 듣기도 합니다. 다행스럽긴 한데도 아쉽게도 이런 겉과 달리 속은 완전히 반대입니다. 사고후유증인지 어릴 적부터 유별나게 마르고 약한 체질이었던 저는 시골의 초등학교에서 유일하게 우유를 먹기도 했습니다. 부모님은 항상 제 걱정을 하셨고 몸이 약한 저를 위해 아낌없이 챙겨주셨습니다. 어른이 되어서도 흑염소와 보약, 홍삼즙을 수시로 먹어야 할 만큼 허약체질이었습니다. 부모님이 제 건강을 위해 염려하고 지원을 아끼지 않는데 제가 가만히 있을 수만은 없었습니다. 저도 제 건강관리를 위해 뭐라도 해야 했는데 특별히 할 수 있는 게 없었지만 무엇이든지 시도하는 노력은 해야 했습니다.

그렇게 시작한 것이 틈만 나면 손바닥에 지압을 하는 것이었고 업무를 보는 중에도 두 발을 들고 문서 작업을 했습니다. 그러니까 하루에 딱 5분만 하는 게 아니라 5분씩 여러 번을 나누어서 건강관리를 합니다. 동료들은 유난스럽게 건강을 챙기는 저에게, 제 몸 하나는 어지간히 잘 챙긴다며 핀잔을 주기도 하고 어쩌면 그렇게 몸매와 건강관리를 잘하냐면서 부러워하기도 합니다. 살집이 오르기 전에는 저를 안쓰러워했는데, 과거의 모습을 기억하지 못하는 것인지 안 하는 것인지 요즘은 부럽다는 말만 합니다. 비결을 물어보면 저는 기다렸다는 듯이 "선천적 체질이에요"하고 웃으면서 대답합니다. 하지만 그 이면에는 날마다 건강에 대해 두려워하면서 많은 노력을 하는 제가 있다는 걸 잘 모릅니다. 누구나 건강에 대한 좋은 정보는 충분히 알고 있습니다. 다만 실행을 하느냐 안하느냐의 차이일 뿐입니다.

2001년, 진안읍에서 20킬로 정도 떨어진 백운면에 발령을 받았을 때는 마이산의 벚꽃 축제가 열리던 시기였습니다. 보건소 공무원들은 마을을 한 개씩 선정해서 건강체조대회를 신청하고 체조지도를 했습니다. 제가 배운 대로 안무도 알려주고 주민들과 함께 연습했을 때였습니다다. 할머니 한 분이 저를 보고 혀를 차면서 하는 말씀이 이랬습니다.

"아이고 피죽도 못 먹은 것처럼 야리야리하게 생겨서 우리한테 무슨 체조를 가르친다고…."

그때의 저는 지금의 키에 40킬로를 겨우 넘었으니 많이 말라보일 때였습니다. 할머니는 대수롭지 않게 말씀하신 것일지 모르겠으나, 저는 충격을 받았습니다. 보건소 공무원이 자기 몸 관리도 못 하면서 주민들의 건강을 위해 보건교육을 한다고 하는 건 확실히 모순이라는 생각이 들었습니다.

건강체조대회에는 11개 읍면이 참가했는데 백운면은 시상대에 서지 못했습니다. 열심히 최선을 다한 저로서는 서운한 마음이 들었지만 저보다 더 많이 연습하고 잘한 다른 면들이 시상대에 섰습니다. 저에게 피죽도 못 먹었다며 안타까워하던 할머니는 "아이고, 선생님 우리가 잘 못해서 상도 못 받고 미안하네요. 내년에는 잘해서 상도 받고 할 테니 우리 맛있는 거 먹으러 가죠"하면서 오히려 저를 위로해주었습니다. 주민들 눈에는 약한 담당 공무원이 자신들에게 체조를 지도한다는 것이 미덥지 않을 수 있겠다는 생각이 들어, 나부터 건강해야겠다고 마음먹었습니다.

'그래 내가 이렇게 약한 몸으로 건강에 대해 말하면 설득력이 있을 수 있을까?' 반성하며 어떻게든 건강한 몸을 만들어야겠다고 다짐했습니다. 건강한 몸도 능력이라는 생각이 들면서 건강하지 못한 저는 능력부족 보건직 공무원이라는 자괴감까지 들었습니다.

맡은 임무가 보건소에서 건강증진과 방문보건을 하는 일이니 무조건 건강해지기로 작정하고, 할 수 있는 것들을 시도했습니다. 조금씩 움직이기 시작했고, 긴 시간 동안 건강할 수 있는 방법들을 배우고 실천했습니다. 건강해지기 위해 집착하기 시작한 것이지요. 건강한 사람들은 이해 못할 만큼 노력하며 지냈습니다. 그렇게 건강 주문을 외우며 15년을 넘게 지내다 보니 지금은 통통하게 살도 오르고 예전부터 알고 지냈던 동료와 주민들은 사람 됐다고, 잘했다고, 보기 좋다며 칭찬도 많이 해주고 있습니다. 만약에 그때 할머니의 말씀을 듣고도 건강을 대수롭지 않게 여겼다면 저는 지금도 약한 모습이었을 것입니다.

제가 건강 관련 정보를 익히고, 다시 주민들에게 교육과 상담을 통해 알릴 수 있었던 건 보건소 근무 덕분입니다. 이런 일들 때문에 보건직 공무원이 제 천직이라고 생각하며 지냅니다.

저처럼 약한 사람도 쉽게 시작할 수 있었던 운동법을 소개하겠습니다. 자연스럽게 제 건강을 챙겨주면서 동시에 놀라운 위력까지 가진 '마법의 5분 건강법'입니다.

작년에 읽은 책 내용에도 있었던 말인데요, 65세의 할아버지가 20대의 젊음을 유지한 비결이 적혀있었습니다. 그 책의 저자도 약한 몸으로 태어났는데 건강관리에 전념하면서 건강이 좋아진 경우였습니다. 아침에 눈을 뜨면 침대에서부터 스트레칭을 시작으로 운동을 했다고 합니다. 아침 식사 전에 산책을 했고 점심 후에도 산책과 스트레칭, 저녁 식사 후에도 산책과 스트레칭을 했고, 낮에도 종일 손바닥을 자극하고 TV 시청 중에도 소파에 기대지 않고 스트레칭을 한다고 했습니다. 그러니까 일상이 운동인 셈인데, 업무와 생활에 전혀 지장이 없고 건강만 좋아졌다는 것입니다.

이야기를 듣고 나서는 저도 5분짜리 스트레칭과 지압을 더 자주 하게 되었습니다. 평소에도 아침에 일어나면 침대에서 바로 일어나지 않고 누운 채로 발끝 치기를 5분 동안 합니다. 양 발뒤꿈치를 붙이고 엄지발가락을 양쪽으로 벌렸다가 약간 아플 만큼 치는 운동입니다. 어떤 날은 일어나기 싫어서 게으름을 피우느라 5분 넘게 하기도 합니다. 오늘 밤에 잠자기 전이나 아침에 일어났을 때 한번 해보세요. 당장에 컨디션이 달라지는 것을 느낄 겁니다.

손바닥 안에 우리 몸의 지압점이 있다는 것은 다들 들어보셨을 텐데요. 정확하게 어느 부분이 혈점인지 정확히는 몰라도, 손바닥은 우리 몸의 축소판이니 전신을 터치한다는 마음으로 손바닥 전체를 자극했습니다. 제 운동을 마친 후에는 아침에 아들을 깨울 때도 머리에서 발끝까지 전신마사지 해준다는 생각으로 자극해주었습니다. 아들이 캐나다로 가기 전까지 하루도 거르지 않았습니다.

낮에 사무실에서 근무하는 분들은 업무 중에 두 다리를 살짝 들어보세요. 일단 배가 땅기면서 힘이 들어가는데 이게 복부운동이 됩니다. 처음 시작하는 분들은 5분도 안되어, 아니 1분도 안되어 발을 내려놓을 만큼 어렵다는 것을 알 수 있을 겁니다. 한 번 해보세요. 시간이 지나면서 뱃살도 빠지고 건강해지는 것을 체험하게 될 것입니다. 2층 이상에서 근무하는 분들은 출근하면서 엘리베이터 대신 계단을 이용해보길 권합니다. 내려올 때는 관절에 무리가 간다고 하니까 엘리베이터를 이용하고 올라갈 때는 꼭 계단을 이용해보세요. 저층에 근무하는 분들은 더 높은 층까지 걸어서 올라보세요. 내려올 때는 엘리베이터를 이용하면 됩니다.

온종일 시도 때도 없이 실천해볼 수 있는 운동법도 두 손안에 있습니다. 손바닥을 쫙 폈다가 오므리기를 반복하는 것도 좋고 왼손과 오른손을 번갈아가며 다른 손바닥을 손가락으로 꾹꾹 눌러주는 것도 좋습니다. 손가락을 쭉쭉 당겨보는 것도 좋고요. 아이들과 함께 있을 때라면 아이들 손을 붙잡고 손 마사지를 해주세요. 부모와 아이가 손잡고 있을 시간도 만들고 서로 이렇게 스킨십을 하며 교감을 나누면 몸만 건강해지는 것이 아니라 마음까지도 건강해집니다.

저 같은 경우에도 아들과 함께 있을 때면 틈나는 대로 마사지를 해주었습니다. 남편이 운전할 때 저는 아들과 뒷자리에 앉아서 아들의 손을 붙잡고 마사지를 해준 것이죠. 한번은 제가 운전을 하고 아들과 아들 친구가 뒷자리에 앉아있는데 하품하는 아들 친구를 본 아들이 친구의 손을 잡고는 마사지를 해주는 것이었습니다. 어린 나이에 기특한 행동을 보인 아들이 대견했고, 제가 보여주었던 행동들이 헛되지 않았다는 생각까지 하게 되었습니다.

보건소에 근무하는 저는 다양한 건강정보를 빨리 받아보는 편입니다. 제가 지금까지 배우고 실행해본 건강법 중에 가장 무리가 없고 좋은 효과를 보는 것은 걷기와, 손 마사지, 발끝 치기, 스트레칭입니다. 물론 체력이 좋고 건강한 분들은 이보다 더 많은 운동을 하면서 관리하겠지만 평소에 약하고 운동할 기회가 없다고 하는 분들은 네 가지만이라도 기억하고 실행해보세요. 시간 없다는 핑계를 대기에는 우리가 너무 오래 살게 되어버렸고 그렇게 오래 살면서 약하게 살기에는 돈도 많이 들어가고 본인 자신과 가족들에게 염려만 끼치게 됩니다. 지금 이 책을 보는 분이라면 한 손만이라도 쥐엄쥐엄도 해보고 두 발도 들어보세요. 그냥 책을 읽기만 하는 게 아니라 운동까지 함께 하는 효과를 보게 되는 겁니다. 서서 읽는 방법도 좋습니다. 다리를 약간 구부린 채로 읽게 되면 하체운동까지 하면서 보게 되고 졸음도 덜 옵니다.

마법의 5분 건강은, 약한 몸으로 태어나서 어떻게든 건강해지려고 사투를 벌이기를 반복하면서 얻은 고마운 운동법입니다. 지금은 어릴 적 모습보다 훨씬 좋아져서 더 많은 일을 무리 없이 진행하고 있습니다. 건강하다면 건강할 때 더 잘 지키시고, 약하다면 조금씩이라도 건강한 몸이 되도록 움직이고 정기적인 검진으로 가족 모두 건강한 생활 하시길 바라겠습니다.

저는 아무것도 모르는 어린 나이에 부모님께 큰 걱정거리를 안겼고 재산에도 손해를 끼친 불효를 했습니다. 이제는 평생토록 건강하게 사는 딸의 모습을 보여드리고 싶어 '건강'을 최우선으로 생각하며 살고 있습니다. 미리미리 건강을 챙기고 조심하면, 큰 병이 찾아오지 않아 큰돈을 지불하지 않아도 된다는 사실을 꼭 기억해두세요.

## 검진투어하는
## 보따리장수들

저는 6개월간 보따리 장사를 한 적이 있습니다. 저 혼자 다닌 게 아니라 일곱 명이 버스를 타고 전라북도 전 지역을 돌면서 보따리를 펼치는 것이었죠. 보따리 안에는 피검사용 주사기, 체중계, 혈압계, 청력테스트기, 차트가 있습니다. 함께 보따리장수를 하는 멤버는 의사, 간호사, 운전기사, 행정직원, 임상병리사, 엑스레이기사, 간호조무사인 저 이렇게 일곱 명입니다. 공장이나 은행, 기관들을 방문해서 건강검진을 하는 일이었습니다. 이곳에 지원해서 면접 볼 때 제 이력서를 살피던 면접관이 글씨를 잘 쓴다는 말 이외에 다른 말이 없었는데, 합격이었습니다. 그 때문에 글씨를 많이 쓰는 일을 하는 줄로만 알았습니다.

'대한산업보건협회'라는 곳이었습니다. 근로자들의 건강을 위해 건강진단과 관리, 작업환경을 측정하고 관리하는 보건관리대행 업무를 하고 있었습니다. 버스를 타고 함께 이동하던 멤버들은 "우리가 하는 일은 보따리장수"라고 했습니다. 저도 친구들에게 보따리장수하고 있다고 말하고 다녔습니다. 간호조무사 자격을 취득하고 나서 다니던 학원의 추천으로 들어간 제 인생 첫 직장이었습니다. 남들은 자격증 취득 후 병원으로 취직하는데 저는 집에서 공무원 시험공부를 하던 중 학원 선생님으로부터 연락이 왔습니다. 시험 볼 때까지 다녀보라는 말에 알겠다며 면접 보고, 합격해서 다니게 되었습니다.

올림픽이 열리던 1988년 6월부터 전라북도 도내 산업체를 방문해서 건강검진 투어를 하고, 토요일이나 사무실에서 근무할 때는 종일 검진 결과지를 작성하는 업무를 했습니다. 월급은 병원에 다니는 친구들에 비해 배가 많았고 하는 일도 나름대로 재미가 있었지만, 그만큼 힘든 부분도 있어서 공무원 시험 준비를 해놓는 것도 게을

리하지 않았습니다.

몇 개월 동안 출장검진을 다닌 후부터 선배언니들은 "박꽃처럼 하얗던 이선옥, 이제는 보따리장수 몇 달 하더니 피부가 그을렸네!" 했던 말이 지금도 기억납니다. 시외지역으로 출장을 갈 때는 새벽 6시에 출발했습니다. 산업현장에 8시 30분까지 도착했어야 하니까요. 멀리 있는 지역을 다닐 때는 아침 식사도 이동하는 차 안에서 김밥과 우유로 때울 때도 있었습니다.

검진 팀의 일원이 되어 반복적인 일을 하면서 점점 비전도 없어 보이고, 제가 이렇게 살아야 하나 하는 회의감이 들면서 '딱 1년만 다니자!'는 생각을 했습니다. 보건소에 꼭 가야겠다는 다짐을 하면서 일했습니다. 그래도 일하기로 약속했던 시간 동안 열심히 일하고 인정도 받아야겠다는 생각으로 다녔습니다. 그러다 보니 나름대로 재미도 찾게 되었고, 친구들보다 월급도 많았으니 계속 다닐까 하는 생각이 살짝 들기도 했습니다.

검진할 때 맨 처음 하는 일은 접수였고, 이어서 혈압측정과 청력검사를 한 후 설문지를 내밀면서 질문을 합니다.

"몇 년 근무하셨어요?"

산업체이다 보니 근무 년 수 기재가 필수항목입니다. 직업병 판단 여부에 중요한 자료이기 때문인 거죠. 공장건물 입구에서부터 열악한 근무환경의 기운이 스멀스멀 느껴지고, 작업현장에 숨이 턱 막히기도 했습니다. 근무 년 수를 묻다가 저는 깜짝 놀랐습니다.

"정말로요? 30년을 이곳에서 근무하셨다고요?"

저는 열악하지도 않은 근무조건에서 기껏 몇 달 근무하고 힘들어했는데, 그분들은 25년에서 30년씩 일했다고 하니 그 앞에 있는 제가 부끄럽기도 했습니다. 시끄러운 석재공장, 먼지가 자욱한 의류 공장, 만두 공장에서 고무장갑에 고무장화를 신고 일하는 사람들이 10년을 보내고 20년, 그리고 30년을 일한 것입니다.

더운 여름날, 우리 검진팀이 짜증을 내며 방문한 곳은 군산의 유리 공장이었습니다. 1000도가 넘는 용광로 앞에서 10년 넘게 근무하는 분들이 있었습니다. 우리가 방문한 시간은 겨우 한 시간 정도였는데 뜨거워 죽겠다고 아우성치다가 빠져나온 기억도 있습니다. 유리가 만들어지는 과정은 예술처럼 멋지고 아름다웠지만 숨이 막혀서 계속 보고 있을 수는 없었습니다.

그분들을 만난 이후로 저는 보따리를 들고 덜컹거리는 출장버스 타고 다니는 일을 힘들다고 할 수 없었습니다. 너무나 열악한 환경에서 근무하시는 분들을 보고 많은 생각을 하게 된 것입니다. 그분들이 존경스러웠고 그렇게 번 돈으로 자녀들을 가르친다고 생각하니 세상의 모든 부모님은 훌륭한 분들이라는 생각이 들었습니다.

협회에서 근무하면서 재미난 일도 많았습니다. 검진을 마치면 산업현장을 탐방할 때가 있는데, 업체들은 저희에게 제품이 만들어지는 과정 설명을 해주고 생산제품들을 선물로 주었습니다. 과자 공장에 가면 과자가 만들어지는 과정을 보면서 과자를 실컷 먹을 수 있었고, 콜라 공장에 가면 자판기에서 콜라를 맘껏 마실 수 있었습니다. 연필 공장에서는 연필과 볼펜을 선물로 주었습니다. 아이스크림 공장에서 아이스크림을 원 없이 먹어보기도 하고, 속옷 공장에서는 몇 년 동안 입을 만큼의 많은 속옷도 챙겨주었습니다.

전화국에 간 적도 있습니다. 그곳에서 우리에게 준 혜택은 마음대로 전화를 사용하는 것이었습니다. 1988년이었던 그때는 휴대폰도 삐삐도 없던 시절이었고, 오직 유선전화와 공중전화만 있었습니다. 마음대로 전화를 사용하라고 했는데 우리는 전화할 데가 없어서 서로 얼굴을 마주 보며 깔깔거리고 웃었던 기억이 있습니다.

일이 익숙해지고, 재밌어지고, 출장검진 팀원들끼리 서로를 챙겨주며 돈독해지게 되었을 즈음 더 이상 제가 근무할 수 없다는 사실을 알게 되었습니다. 6개월간 계약직으로 근무하는 조건이었는데 저는 전혀 모르고 열심히 일했던 것이죠. 어떻게 그런 것도 모르고 일할 수 있느냐고 할 수 있겠지만, 저를 소개해준 학원 선생님이나 면접관들 그리고 입사 후 만난 선배들도 아무도 말해주지 않았으니 저는 당연히 모를 수밖에 없었습니다. 한 번도 의심하지 않았으니까요. 담당과장님은 한 달 쉬었다가 다시 들어오라고 말했지만 제가 가야 할 길은 보건소라는 생각을 다시금 하게 되었습니다. 보건소에 근무하게 되면 좋은 경험으로 기억될 것 같다는 인사말과 함께 짐을 싸서 나왔습니다. 딱 1년만 다니자고 다짐도 했었고, 계속 다녀볼까 하는 생각이 들기도 했는데, 6개월 만에 퇴사하게 된 것입니다. 지금 생각해보니 만약 제가 계약직이 아니라 정규직이었다면 어떻게 됐을지 모를 뻔했습니다. 6개월간의 출장검진 경험도, 단기계약직으로 일하게 된 것도 현재 보건소에 다니는 저에게 좋은 자산이 되었습니다.

저는 지금 보건소에서 26년째 근무하고 있습니다. 힘들고 어렵다는 생각이 들 때마다 첫 직장에서 만났던 산업현장의 그분들을 기억하며 이겨내고, 참아낸 일도 많습니다. 보따리장수 시절에 열악한 환경에서 웃음을 잃지 않고 인정을 베풀어주셨던 모든 분들이 건강하게 잘 지내셨으면 하는 바람입니다. 그때나 지금이나 산업체는 회사 차원에서 정기건강검진을 해서 참 다행입니다. 회사에서 정기검진을 하지 않더라도, 어떤 환경에서든 스스로 건강관리를 하셔야 합니다. 현재의 몸 상태를 객관적으로 파악하고 전문가들에게 보여주는 시간을 만드셔야 합니다. 그게 바로 건강검진입니다.

건강검진 꼭 받으실 거죠?

## 언행심일치

"신언서판" 그리고 "언행일치"

초등학교 때, 아버지께서 아홉 살 위 오빠에게 항상 강조하던 말씀이었습니다. 그리도 저 역시 이 말을 뼛속까지 새기게 되었습니다. 6살 때 천자문을 뗐다고 하시는 아버지는, 외아들인 오빠를 앉혀놓고 가끔 한문공부를 가르치셨습니다.

수업 내용이 제 귀에도 저절로 들려왔습니다. 이것저것 듣고 생각하기는 했는데, 나이를 먹고 나서 돌아보니 기억나는 말은 거의 없었습니다. 하지만 웬일인지 이 두

가지 말은 확실히 기억이 났습니다. '신언서판'과 '언행일치'. 왜 이것들만 남았는지 알 수 없지만, 제가 살아가는 데 있어 삶의 목표점이 된 것만은 확실합니다.

놀 때도, 공부할 때도, 이야기할 때도 저는 이 말이 자연스럽게 머릿속에 떠올랐습니다. 인문계 고등학생이었던 제가 대학에 가고 싶어도 갈 수 없었기에 공부를 포기하게 된 것을 빼고는 말입니다. 일찍 도시로 유학을 떠난 오빠가 "여자들은 굳이 부모님과 떨어져 지낼 필요 없이 성인이 될 때까지는 집에서 학교 다니는 게 낫겠다"를 말을 하게 되어 저를 포함한 자매들은 집에서 가까운 시골고등학교를 다녀야 했습니다. 훗날에는 이마저도 다행이라고 여기긴 했습니다. 만약에 선택의 폭이 넓어졌다면 보건소 공무원을 하지 않았을 수도 있다는 생각에서입니다. '보건직이 아닌 다른 일을 했어도 지금처럼 사명감이 생기고 행복할 수 있었을까' 하는 마음이 들었던 것이죠.

저는 늘 실수하지 않으려 애썼고 결코 생각 없이 함부로 말하지 않으려고 했습니다. 대인관계도 그렇고 업무 처리를 할 때도 신언서판과 언행일치를 실천하려고 노력했습니다. 가끔은 족쇄처럼 느껴지면서 답답하기도 했지만 사람들로부터 인정받는다는 사실에 위안 삼으며 살고 있습니다.

저는 원래 말이 많지 않았습니다. 검진에 대해 부정적인 사람들을 대할 때 제가 열을 올리는 건, 할 말은 꼭 하자는 생각에서 나오는 행동입니다. 제가 처음으로 일했던 대한산업보건협회에서 면접 보던 날, 서예를 했으니 글씨는 잘 쓰겠네 했던 말도 기억납니다. 어릴 적에도 서예를 했고 서울에서 짧게 생활할 때도 서예학원을 다니며 글씨를 썼고 글씨를 예쁘게 쓰려고 연습도 했습니다. 독서는 늦은 나이에 낳은 아들의 교육을 위해 유아교육에 관련한 책을 읽다가, 읽는 재미에 빠지면서부터 꾸준하게 해왔습니다. 3년 전부터는 매주 토요일 새벽에 두 시간씩 진행되는 독서클럽에 나가서 읽은 책에 대해 사람들과 함께 토론하기도 합니다.

어떤 일에 대해 판단을 해야 할 때는 "넌 너무 이성적이야!" 라는 말을 들을 정도로 분석하고 연구한 다음에 결정을 내리는 편입니다. 보건소 공무원이 되겠다고 마음먹은 뒤로, 친구들의 유혹에도 흔들림이 없었고 맡은 일을 진행할 때도 가능하면 주변에 피해는 없는지부터 살피는 습관도 있습니다. 사실 가족들은 제가 꼼꼼하다고 하면 고개를 갸우뚱 합니다. 특히 진안군청에 다니는 여동생은 매우 꼼꼼합니다. 정확하고 원리원칙을 준수하는 데, 동생의 눈에 비치는 저의 모습은 덜렁이 수준입니다. 아버지의 가르침을 저희 6형제 모두가 잘 따랐다고 생각이 듭니다.

아버지는 신언서판 중에 가장 중요한 것은 '건강'이라고 했습니다. 저는 이렇게 중요한 건강에는 자신이 없었으니, 살면서 매사 건강부터 챙기며 살게 된 것입니다.

언행일치의 삶도 아버지로부터 보고 배웠습니다. 아버지는 한 번도 허튼 행동과 불필요한 농담을 하지 않으셨습니다. 저는 아버지의 말과 행동을 본받으며 하나를 더 보탰는데, 그건 '심心' 입니다. 말과 행동에는 그에 걸맞은 마음까지 일치해야 한다고 생각했습니다. 그래서 저는 아들 앞에서 늘 말과 행동을 조심했습니다. 아들이 태어나는 순간부터 동등한 인격체로 대하며 진지하게 대화를 나누었고, 직장과 민원인들 앞에서도 농담하지 않았고 행동거지를 조심하려고 애썼습니다. 어릴 때부터 조신하다는 말과 애늙은이 같다는 말을 들으며 자라서인지 모든 일에 언행일치, 나아가 언행심일치에 대한 강박관념까지 생겨났습니다. 조심하며 살아야 한다는 생각 때문에 스스로 옭아 매어져 사는 듯하며 가끔은 스트레스가 되기도 하는 것 같습니다. 친구나 모임이나 동료들은 저를 대하기 어렵다며 불편해하기도 하는데 이건 제가 고쳐나가야 할 부분입니다.

'언행일치'가 뇌리에 박혀있고 그에 따르려다 보니 항상 말을 아끼고 신중하려고 합니다. 업무도 늘 분석부터 하는 편이고, 문제점을 먼저 파악한 뒤 대안을 찾기 위해 연구합니다. 이 모든 일에도 아버지의 영향이 가장 컸습니다. 어려서부터 늘 들어온 말을 한번 소개하고 싶습니다. 누구에게든 좋은 영향이 있을 거라 생각하니까요.

- 내가 하던 일을 내가 아닌 다른 사람이 다시 해야 한다거나 누군가가 다시 손을 봐야 한다면 처음부터 안 하는 게 낫다.
- 대충 하려면 처음부터 아예 하지를 말아라.
- 자기가 맡은 일은 다른 사람이 손댈 필요가 없도록 책임지고 깔끔하게 매듭을 지어라.

공무원이 되고 나서 보건소에 처음 출근하던 날도, 아버지는 제게 이렇게 말씀하셨습니다.

"공무원은 항상 자기 맡은 일에 책임감을 갖고 남에게 피해를 주지 말며 정직한 자세로 임해야 한다."

어릴 적부터 아버지를 존경해왔고, 어른이 되어서도 아버지 말씀은 늘 옳다고 생각했기에 항상 명심하는 말들입니다. 이제까지 사랑하는 아버지에게 어떤 교육을 받았는지 조금 자세하게 말씀드렸습니다. 꼭 제가 아니더라도, 그 누구에게도 좋은 교육이고 좋은 삶의 지침이 될 수 있을 거라 생각합니다. 신언서판과 언행일치의 삶을 이어가고 싶어 하는 제가 꼭 한 가지 부탁드리고 싶은 게 있습니다.

바로 건강관리입니다. 아무리 잘나도 건강하지 않다면 의미도 없을뿐더러 본인과 가족에게 짐이 될 수 있습니다. 어떤 것과도 바꿀 수 없는 건강에 대해 강박관념을 가지셔도 좋습니다. 건강을 소홀히 여기는 것보다 차라리 건강 염려증이 낫다고 말씀드리고 싶습니다.

현재의 건강상태가 어떤지 건강검진부터 꼭 받아보세요. 이상이 없으면 더욱 자신감 넘치는 모습으로 관리를 잘 하시면 되고, 어떤 소견이 나오더라도 진료 받고 그 부분에 대해 조심하면서 더 건강한 삶을 살면 좋겠습니다.

# 보건소 직원 뽑더라

"보건소 직원 뽑는단다. 준비해라."

아버지의 한마디에, 저는 하던 일을 마무리하고 시골로 내려가겠다고 마음먹었습니다.

간호조무사자격을 취득하려고 실습에 나갔을 때부터 보건직 공무원 준비도 했었습니다. 제가 중도에 꿈을 바꿀 이유는 없었습니다. 간무사 자격을 취득하고 실습생활을 하면서 주도적이지 못한 삶을 살 수 없을 것이라는 불안감을 느꼈고, 그로 인해 생겨난 공무원의 꿈은 시간이 갈수록 더 커져갔습니다. 한 번도 다른 길을 생각하지 않았습니다. 친구의 요청 때문에 급하게 서울로 올라가 계약직 일을 했을 때도, 그건 제가 원하던 생활이 아니었습니다. 저는 서울로 가기 전에 마을 이장을 하던 아버지에게 보건소 직원 채용공고 나거든 알려달라고 부탁을 드렸고, 아버지께서는 군청의 채용공고를 자주 확인해서 저한테 알려주셨습니다.

간호조무사 학원 수료 전에 대학병원에 나가 실습할 때부터 느낀 바가 있었습니다. 종합병원이고, 대형병원인 대학병원 시스템도 왜인지 저에게 맞지 않는다고 느꼈습니다. 간호조무사는 항상 의사나 간호사의 지시 하에 일을 할 수 밖에 없는 시스템이었습니다. 건강을 다루는 일에 의사와 간호사의 역할은 컸고, 간호조무사는 주도적으로 할 수 있는 게 없었습니다. 실습을 마치고 공중보건학 과목을 공부 하던 중, 보건인의 역할과 보건소에서 하는 일이 저에게 맞을 것 같다는 생각이 들었습니다. 병원보다는 보건소가 맞겠다는 판단이 든 것이죠. 무엇보다 보건소는, 누가 시키기 전에 내가 주도적으로 일할 수 있을 것 같았습니다. 다른 친구들은 자격증이 나오기도 전에 병원에 취직하겠다고 추천서 들고 여기저기 병원에 면접 보러 갈 때, 저는 과감히 학원 취업 담당 선생님에게 "저는 보건소에 갈 테니 추천서 안 써줘도 됩니다"라고 말했습니다.

아버지께도 저는 병원보다는 보건소에 갈 거라고 말씀드렸습니다. 보건소에 왜 가려고 하느냐는 아버지께 이유를 설명해드렸습니다.

친구들이 병원에 취업했을 때, 저는 집에서 쉬면서 공무원시험 준비에 박차를 가했습니다. 그리고 공부 하던 중 병원에 근무하는 친구가 갑자기 일손이 필요하니 직원을 채용할 때까지 3개월 정도만 도와주라는 말에 병원에 가서 아르바이트를 한 적이 있습니다.

그 당시 간호조무사들의 근로조건과 처우는 열악했습니다. 간무사들이 이런 환경에서 어떻게 몇 년씩 말없이 일하고 있는지 이해되지 않을 정도였습니다. 제가 느낀 건 불합리하고 불공평한 차별이었습니다. 법에 위배되는 노동을 강요받았고, 휴일과 야간근무에 대해서도 별도의 수당지급이 없었습니다. 간무사들이 당연히 해야 하는 것처럼 시켰고, 간무사들도 거스를 수 없었기에 시키는 대로 일했을 때입니다. 어디서부터 어떻게 개선하고 바로잡아야 할지 잡히지 않았고, 큰 숙제를 떠안는 기분이 들었습니다. 누군가에게 조언을 요청할 수도 없었고, 알아볼 곳도 없어서 관련 서적을 찾아보기 위해 서

점으로 갔습니다. 그리고 〈노동법해설〉 이라는 책이 눈에 들어와 구입했습니다. 책에 답이 있을 것 같아 하나하나 밑줄 긋고, 조목조목 따져가며 밤새 읽었습니다. 그리고 책에 나와 있고 알게 된 내용을 토대로 동료들에게 알려주었습니다. 첫 번째로 점심시간을 요구하고, 야근수당과 휴일근무수당을 요청하기로 했습니다.

병원사무장에게 건의해서 하나씩 바로잡았습니다. 그러던 중 병원 측에서 저에게 상담을 요청해왔습니다. 올 것이 온 것입니다. 애초에는 석 달 정도 도와주려고 했었는데, 제 계획일 뿐이었습니다. 병원 측이 2개월분의 월급을 줄 테니 나가줬으면 고맙겠다고 해서 그만둘 수밖에 없었습니다. 한마디로 병원에서 잘린 상황이었습니다. 한 달 만에 저를 내보낸 병원도 간호조무사들의 처우가 개선되게 해주어서 고맙고, 난생 처음 서울생활을 경험하게 해준 친구들과 치과에도 감사 인사를 하고 싶습니다.

종합병원, 개인병원, 치과병원, 대한산업보건협회에서의 경험이 제가 일하는 보건소 업무에도 도움이 되었습니다. 특히 보건지소에는 치과와 내과가 있었는데 치과에서 근무했던 경험으로 실질적인 도움이 되었습니다. 대학병원에서 다양한 진료과를 옮기며 실습 경험한 것도 보건상담과 1차 의료에서 관련 진료와 연결되었습니다. 역시 경험의 중요성은 무엇 하나 쓸모없는 일은 없다는 것을 깨달았습니다. 대학병원과 개인병원, 보건소근무 경험들을 통해 간호조무사 협회 임원으로 있으면서 회원들의 고충과 개선해야 할 부분까지도 먼저 생각할 수 있게 되었습니다. 성인이 되고 난 후에 경험한 모든 일에 감사함을 느낍니다. 그렇게 26년이 지난 지금도 역시 후회는 없고 천직이라고 생각하며 간호조무사 보건직 공무원으로서 행복하게 일하고 있습니다.

# 차라리
# 담배피우세요

'차라리 담배 피우세요. 그게 낫겠어요' 라는 말이 목구멍까지 넘어올 때가 한두 번이 아니었습니다. 아버지가 금연할 때도 그랬고, 금연 교육에 참석한 주민들이 힘들어하고 고통스러워하는 모습을 볼 때마다 차라리 피우시는 게 낫겠다는 생각을 했습니다. 하지만 저는 직무유기를 할 수가 없었습니다. 금연을 주관하고 담당하는 제 입에서 절대 나올 수 없는 말인 것입니다. 담배는 백해무익인데 어쩌다 모르고 흡연을 시작하신 분들에게 금연을 권하는 건 업무이기도 하고, 반드시 해야만 하는 일이 아닐까 싶었습니다.

어느 날 운전하다가 신호 대기 중일 때, 옆을 돌아다보니 택시가 있었습니다. 택시에 붙어 있는 광고가 눈에 띄어서 저는 순식간에 그 광고 문구를 외웠습니다.

"흡연자의 사망자 수 교통사고 사망자의 열 배"

사진을 남기려고 핸드폰을 꺼냈지만, 신호가 바뀌는 바람에 찍지는 못했습니다. 그 광고에 실린 단 한 줄이 진짜 현실 같다는 생각이 들었습니다.

행복을 위해 금연을 선언했다는 금연 성공 사례자가 발표 시간에 이런 말도 했었습니다.

"바람 피는 것은 용서해도 담배피우는 것은 용서 못한다."

교통사고로 죽는 사람도 많은 것으로 알고 있었는데 흡연으로 인한 사망자는 그보다 열 배나 많습니다. 남편의 바람은 용서해도 흡연은 용서할 수 없다는 아내의 말이 이해가 될 정도입니다. 흡연자 사망률이 그렇게나 많은지도 몰랐고 흡연자가 죽을 때는 숨이 제대로 멎지 않아 일반인보다 더 고통스럽게 죽는다는 말도 처음 들어봤습니다. 사례발표자의 말에 모두 웃으면서도 처음 들어본다는 표정들이었습니다. 사실은 제가 가장 존경하는 아버지께서도 뇌졸중을 앓기 전인 60대 중반까지 담배를 피우셨고, 뇌경색 이후에도 한동안 습관적으로 담배를 피우셨습니다. 너무나 힘들게 금연하는 아버지의 모습을 지켜보았습니다. 아버님 연세도 있으시고 무서운 병까지 걸린 마당에 까짓 담배 차라리 피우시게 놔두는 게 어떨까 하는 생각도 했었습니다.

하지만 제가 누구입니까. 보건소 업무 중에는 금연교육도 있는데 업무를 떠나서도 건강검진 전도사인 제가 담배 피우는 사람들과 타협할 수는 없었습니다. 게다가 국가까지 나서서 금연교육과 홍보를 위해 '건강기금'을 사용하고 있는데 흡연자들에게 양보할 수는 없습니다.

금연교육 중에 어떤 분이 바로 앞에서 화를 내기도 하고 안절부절못하는 모습을 보다가 그냥 담배 피우시라는 말을 할 뻔했지만, 마음만 그럴 뿐 입으로는 절대 양보할 수 없다고 강하게 밀어붙였습니다. 처음부터 배우지 말았어야 할 담배입니다. 교육에 참석한 주민도, 담배를 끊게 하려는 가족과 보건소 직원들도 눈치와 한숨 섞인 시간 속에서 사투를 벌입니다. 물론 가장 힘든 사람은 금연하려는 당사자일 것입니다. 그분들을 위해서 주위에서 적극적으로 도와주어야만 합니다. 백해무익하니까 금연하라는 말은 흡연자들이 모르는 게 아닙니다. 그들도 알지만 중독되어 힘든 것입니다.

가족이나 주위에서 금연을 하려는 사람이 있거든 적극적인 협조를 당부하고 싶습니다. 오늘은 피우고 내일부터 끊으라는 둥, 담배 끊는 사람이랑은 상종을 말아야 한다는 등의 말은 제발 삼가주길 부탁드리고 싶습니다. 대단한 결심을 했다고 격려해주고, 며칠만 지나면 담배 생각이 나지 않을 거라며 응원해 주세요. 그분과 가족들에게 평생 고마운 사람으로 기억될 것입니다.

성수면 보건지소에서 근무하면서 금연교육을 실시할 때 저를 선녀님으로 불러주는 아저씨가 계셨습니다. 저 때문에 담배를 끊을 수 있었다며 은인이라고도 했고 선녀님이라고도 했습니다. 저를 진짜 선녀라고 생각하는 게 아니라, 제 이름이 선옥이다 보니 그냥 선자돌림으로 했겠구나 싶었습니다.

아저씨가 금연교육에 참석했던 첫날 얼마나 불평불만이 많았는지 모릅니다. 참석했던 다른 분들까지 금연을 못 하게 방해하기도 했습니다. 왜 금연교육장에 오셨는지 이해가 되지 않았죠. 수업시간 내내 방해를 하셨고 쉬는 시간이면 담배를 피우셨습니다. 차라리 제발 그냥 교육받지 않고 가버렸으면 좋겠다는 생각이 들 정도였으니까요. 그런데 문득 제 생각이 바뀌게 되는 아이디어가 떠올랐습니다. 저렇게 금연하기를 싫어하는 분이 여기까지 가족에 의해 억지로라도 오게 되었으니 저분만 금연하게 한다면 참가자들 모두가 금연할 확률이 높아질 거라 판단이 들었습니다. 저는 아저씨에게 교육이 끝나고 개인면담을 요청해서 1대 1로 마주하고 앉았습니다. 귀찮고 바쁘다며 그냥 가시려는 분을 "잠깐이면 된다"고 하고 상담을 했습니다. 30여 분 정도를 흡연하면 우리 몸이 얼마나 안 좋아지는지, 금연하면 얼마나 좋아지는지를 조곤조곤 이야기했습니다. 시간이 지나면서 아저씨는 차분하게 들어주었고 금연을 시도해보겠다는 말씀까지 했습니다. 5일간의 금연교실을 무사히 마치고 3개월 지속 관리까지 받았습니다.

결과는 대 성공이었습니다. 완전골초로 소문난 그 아저씨는 담배를 완전히 끊었습니다. 그 후부터 저를 만나면 선녀님이라고 불러주셨고 농사지은 농산물들도 가져다주었습니다. 인삼농사도 하신다며 인삼도 많이 주셨습니다.(김영란법이 발효된 지금은 무우 한 뿌리도 받지 않고 있습니다)

그 해 연말 '금연 성공자 만남의 날' 행사에 저는 아저씨를 성공사례발표자로 추천했고, 아저씨는 기꺼이 오셔서 담배는 무조건 끊어야 한다고 강조하셨습니다. 왕골초였는데 금연한 뒤로 얼굴도 좋아지고 건강해졌으니 실컷 자랑할 만 했습니다.

다른 지역으로 발령이 난 후에도 군민의 날이나 읍내에서 우연히 마주치게 되면 저에게 달려와서 "아이고 우리 선녀 선생님!" 하시며 반가워 해주십니다. 저는 이렇게 선녀 선생 선옥이가 되었습니다. 아저씨가 저를 부르는 걸 들은 동료들은 그 후로 놀리듯 "선녀 선생 이선옥" 하면서 부릅니다. 호칭이야 어떠하던, 저는 금연해준 아저씨가 고맙고 금연을 이끌어낸 제가 자랑스러웠습니다. 가족도, 친구도, 본인 스스로도 끊고 싶었지만 끊지 못했던 담배를 저 때문에 끊었다고 하시니 말이죠.

아저씨 덕분에 저는 금연교육 때만 되면 할 말도 많아지고 자신감까지 생겨서 거침없이 금연을 외치고 있습니다. 요즘은 담뱃값도 두 배 가까이 올랐다고 하는데 그 비싼 돈을 들여가며 본인의 건강과 함께 사람들의 건강에도 해를 끼치고 눈치까지 받으면서 왜 계속 피우시는 겁니까? 하루 한 갑이면 한 달에 15만 원 정도라는데 그 돈이면 저축해서 가족과 해외여행도 갈 수 있는 돈입니다.

제가 검진율로 전국 1위를 했던 것처럼 금연을 가장 많이 성공시킨 공무원이 되고 싶어졌습니다. 금연전도사 선녀 이선옥은 교육장에서 금연을 외치고, 제가 근무하는 보건지소의 출입구에서는 음성 기계가 힘차게 외치고 있습니다.

"나와 이웃의 건강을 위해서는 우리 모두 금연 하여 주십시오. 나와 이웃의 건강을 위해서는 우리 모두 금연 하여 주십시오."

## 내 몸에 맞는 건강법

공무원 후배가 건강이 악화되면서 사표를 냈습니다. 평소에 잘 지내던 후배의 사표는 저에게 있어 여간 신경 쓰이는 게 아니었습니다. 그것도 건강 문제이다 보니, 건강이 좋지 않으면 어떤 것도 할 수 없다는 생각이 들었습니다. 후배가 건강해지길 간절하게 빌었고, 저 또한 건강으로 인해 일을 못하게 되는 일이 없게 해달라고 기도했습니다.

시간이 꽤 지났을 때, 후배를 다시 만나게 되었는데

후배의 얼굴은 몰라볼 정도로 건강해보였습니다. 저는 여전히 약한 몸이었고요. 비결을 물었더니 기체조를 하고 나서부터 좋아졌다며 저에게도 추천해주었습니다.

저는 곧바로 소개해준 곳으로 가서 시키는 대로 체조를 했습니다. 과격한 운동을 하지 못하는 제가 할 수 있는 것을 배우기로 했고, 명상과 요가를 합한 듯한 자세를 주로 배웠습니다. 저는 그날 밤에 일찍 잠이 들었고, 다음 날 아침 몸이 맑아지는 것을 느끼며 일어났습니다. 전날 한 것이라고는 간단한 스트레칭과 명상을 한 것이 전부였으니, 이 체조 제 몸에 맞는 거라는 결론을 내리게 되었습니다.

다음 날 1개월 회비를 내고 등록하려 했는데, 무엇이든 시작하면 100일간은 해봐야 몸이 변화될 수 있다는 말을 떠올리며 3개월을 등록했습니다.

체조하는 날은 확실히 몸이 개운해졌습니다. 본래 3개월 동안 열심히 하려고 마음먹었는데, 점점 확신이 들어 평생 회원으로 변경했습니다. 그러고 나니 이제는 마음까지 든든했습니다. 상쾌한 잠자리가 평생 이어질 수 있는데 무엇을 망설이고 고민할 필요가 있었겠습니까? 처음에는 회비가 다소 비싸다는 생각이었는데 3년 후부터는 공짜로 다니는 기분까지 들었습니다.

저는 옳다고 판단되는 일이면 곧바로 진행하는 편이고, 후회도 별로 하지 않습니다. 상황에 따라 나름대로 기준을 정하는 원칙이 있기도 하고요. 건강 또한 마찬가지입니다. 나름 엄격한 잣대로 계산한다고 하는데 사람들은 저에게 건강에 관련해서는 돈을 아끼지 않는다고들 말합니다. 건강용품 같은 경우는 제가 사용해보고 제 몸에 맞겠다 싶으면 구입하는 편인데, 친구들과 지인들은 비싸다고 말하기도 합니다. 그렇게 말하는 대부분 사람은 평소에 건강한 사람들입니다. 몸이 약한 사람들이 얼마나 건강에 관심이 있고 신경을 쓰는지 몰라서 그렇게 말하는 것입니다. 제가 두 번의 기체조로 얻게 된 숙면의 밤은 너무 행복했습니다. 아침에 눈을 떠서 몸이 가벼운 날은 하루 내내 상쾌합니다. 행복한 잠자리와 아침은 제게 너무나 중요한 것이고, 가치가 있는 것이라 생각해서 평생 회원이 되었습니다. 그렇게 좋아진 몸에 살도 붙고 체력도 좋아져서 주말에 강행군으로 일할 수도 있었습니다.

최대한 자주 기체조를 하기 위해 수련장을 가려고 하지만, 여의치 않아 수업을 놓칠 때도 있습니다. 요즘에는 퇴근하고 월수금요일에 수련장에 가서 체조와 명상을 하고 있습니다. 겉으로 보이는 땀이 아니라 몸속에서 흘리는 땀을 경험해 본 적도 있을 정도로 열심히 배웠습니다. 부득이하게 참석을 못하는 날은 그동안 배운 것들을 집에서 혼자 복습하는 마음으로 연습합니다.

누군가가 저에게 건강에 좋은 정보를 알려주면 그 즉시 체험을 해봅니다. 쑥좌훈방도 면역력을 높여주고 몸을 따뜻하게 해준다고 해서 다녔습니다. 피로도 풀리고 컨디션도 좋아져서 단골이 되었고 친한 사람들과 만날 때는 커피숍 대신 좌훈방에 모여서 수다를 떨기도 합니다.

그리고 제가 목욕탕에 갈 때마다 하는 방법 중 하나는 7온 8냉입니다. 온탕에 7회, 냉탕에 8회를 1분 간격으로 옮겨 다니는 것이죠. 어느 방송에서 들었던 방법인데 직접 해보니 정말 제 몸이 좋아한다는 것을 느꼈습니다. 여기서 1분은 굉장히 중요합니다. 우리 몸의 장기에서 받아들이는 온도의 차이를 1분 간격으로 정한 이유가 있습니다. 1분은 몸속의 오장육부 장기와 피부에 가장 탄력을 줄 수 있으면서, 면역력까지 높여줄 수 있는 시간입니다. 1분이 지나면 오히려 탄력이 떨어진다고 들어서, 저는 시간을 꼭 맞추려고 신경을 곤두세우며 7온 8냉을 합니다. 처음에는 모래시계를 들고 다니며 시간을 재다가 그다음부터는 물속에서 숫자를 세며 앉았다 일어서기로 시간을 맞춥니다. 7온 8냉이니까 맨 마지막 냉탕에서는 시간을 두 배로 잡으면 됩니다. 제 몸에만 딱 맞는 게 아니니 누구든 대중탕에 가면 한번 해보세요.

제 몸이 좋아진 것을 보고 다른 이들도 따라 해보고 저처럼 평생회원이 되는가 하면, 또 누구는 한두 번 다니다가 그만두기도 합니다. 저는 아플 때 치료비로 들어가는 돈이 가장 아깝다는 생각으로, 미리미리 건강관리에 투자하고 항상 준비하고 있습니다. 제 친한 친구가 암 진단을 받고 병원에 입원했을 때는 기센터의 센터장과 동행해서 친구에게 맞는 운동법을 알려달라고 부탁하기도 했습니다. 저에게 좋았던 것들을 친구에게도 경험시켜 주었고, 건강용품도 선물로 주었더니 진심 어린 제 호의에 친구는 고마워했습니다.

태어날 때부터 건강했고 현재상태가 건강하다고 해도, 관리하지 않으면 건강은 망가진다는 사실은 다들 알고 있을 것입니다. 건강관리에 있어서 정답은 없겠지만 자신에게 맞는 건강법은 있습니다. 일반적인 방법이든 특별한 방법이든 각자의 몸과 상황에 맞게 건강관리에 힘쓰면 좋겠습니다. 병원비에 들일 돈으로 미리 건강관리에 투자한다는 생각으로 지내보세요. 건강도 좋아지고, 병원에 가지 않아도 되고, 내가 활동할 수 있는 시간은 늘어나게 되니 비용 지출이 아깝지 않을 것입니다. 각자의 기준에 맞는 건강법을 이용하시고, 현재의 몸 상태가 어떠한지 파악할 수 있는 정기적인 건강검진도 잊지 않길 바라겠습니다.

# 걸음으로 살아납니다

빈 유모차는 누가 밀고 다닐까요? 아이 없이 유모차만 밀고 다니는 할머니들을 본 적 있으시죠? 밖에는 나가야 하는데 거동이 불편해서 네 바퀴 달린 유모차를 잡고 이동해야 하는 할머니들이 계십니다. 유모차를 이용하는 게 습관이 된 할머니들은 유모차 없이는 한 발짝도 움직이지 않으려 하는데요. 그랬던 할머니들이 유모차 없이 두 발로만 걷게 되는 일이 생겼습니다.

한 할머니는 거동이 불편해 그동안 뒤처지기만 했었는데, 다른 할머니들보다 맨 앞에서 씩씩하게 걷게 되면

서 "그동안 꾀병을 부린 게 아니냐"는 놀림까지 받았다
고 합니다.

할머니가 유모차를 쓰지 않게 만든 치료제는 무엇이었을까요. 제목을 보고 눈치 채셨을지 모르겠습니다. 치료제는 바로 '걸음' 입니다. 할머니가 많은 노력을 한 결과이기도 합니다.

제가 근무하는 이 곳, 진안군 상전면 면사무소 옆에는 멋지고 큰 실내체육관이 있습니다. 밤에는 주민들이 모여 탁구, 족구, 배드민턴 등을 요일별로 하고 있는데, 낮에는 아무도 이용하지 않는 체육관이 아깝다는 생각이 들었습니다. 그래서 저는 면장님에게 "낮 동안에 체육관에서 주민들과 걷기프로그램 하는 게 어떨까요"하고 여쭤보았고, 면장님은 좋은 생각이라며 실행보라고 했습니다.

저는 이미 '걸음' 을 통해 건강해졌기 때문에 그 탁월함을 알고 있었고, 10년 전부터 마을주민들과 함께 걸었기에 감사편지까지 받았습니다. 더군다나 실내체육관은 면 주민들이 걷기운동을 피하려는 핑계들을 모두 차단할 수 있었습니다. 눈비가 오니까 못한다, 황사먼지와 바람 불어서 못한다, 추워서 못한다는 핑계들은 실내체육관의

등장으로 사라진 것입니다.

할머니가 계신 마을회관에 들러 보건소에서 준비한 노르딕을 들고 가서 '걸음'이 주는 효과에 대해 설명하고 함께 걷자고 제안했습니다. "허리수술해서 못 걷는다, 다리수술 했다" 하면서 걷기를 거절할 때 허리디스크로 수술한 환자들도 노르딕을 붙잡고 걸을 수 있다고 설명했고, 정상인들도 자세교정을 할 수 있다고 덧붙였습니다. 그렇게 실내체육관에 나오셔서 한 발씩 걷던 할머니는 6개월도 안되어 유모차는 집에 두고 나오게 되었습니다.

월, 수, 금요일에 하던 걷기운동은 날마다 걷는 것으로 바뀌었고, 어르신들은 "노르딕은 나를 위해서 생긴 물건이다"라면서 예쁜 손주 대하듯 했습니다. 이제 실내체육관에는 할머님이 직접 걷는 걸 목격한 주민들이 한 명씩 늘어나게 되었고, 4킬로미터 떨어진 진안읍에서까지 원정 와서 걷는 분까지 생겼습니다. 여럿이 함께 걸으면 이야기도 나누고 덜 심심해서인지 웃음꽃 피는 걷기시간이었습니다.

걸음의 효과는 일찍이 저부터 느꼈습니다. 과격한 운동은 시도도 못할 만큼 약한 몸의 제가 할 수 있는 유일한 운동이 걸음이었던 것입니다. 체계적으로 좋은 효과를 보기위해 걸음 관련 책까지 보며 공부도 했습니다. 발바닥에 있다는 용천혈(용이 하늘로 올라가기 위해 발돋움하는 혈점)이 발을 디딜 때마다 자극이 되어 뇌까지 전달되면서 치매예방에도 좋다는 말에서부터 비만예방, 콜레스테롤 억제, 폐활량 증가에 이르기까지 마치 만병통치약 같은 기능과 그에 관한 과학적인 증거와 설명까지 볼 수 있었습니다. '누우면 죽고 걸으면 산다'는 표현까지 있었습니다. 처음에 책으로 배웠던 걸음의 효과는 예상보다 대단했고, 저는 더 적극적으로 걷게 되었습니다.

약속 장소에 차를 가지고 가게 되면 일찍 출발해서 20분~30분 정도 거리에 주차를 하고 걸었습니다. 자동으로 왕복을 걷게 되니 40분에서 한 시간은 걷게 되었습니다. 시간개념도 좋아지고 저절로 걸을 수 있어 건강까지 챙길 수 있습니다. 엘리베이터 대신 계단을 이용하기도 했습니다. 걸음은 시간과 장소에 구애받지 않고 몸에 아무런 기구도 필요하지 않습니다. 지금 걷는 운동을 하면 다음 달과 내년, 5년 후, 10년 후가 편해집니다. 30대에 건강관리를 어떻게 했느냐에 따라 40대의 건강이 결정됩니다. 제가 올해 50살이 되었는데 40대를 보낸 지난 10년간 부지런히 걸었더니 제 또래 친구들과 확연히 구분될 정도로 좋습니다.

태생부터 약한 몸이었던 제가 건강했던 친구들보

다 덜 힘들게 살 수 있게 된 이유 중 하나가 이 걸음 덕분입니다. 저와 상전면민들은 날씨에 따라 실내를 걷기도 하고, 좋은 날씨에는 체련공원에서 걷습니다. 주위를 둘러보면 걷기 좋은 코스들은 얼마든지 많습니다. 도시도 마찬가지입니다. 우리나라는 걷기 좋은 코스들이 너무 많고 잘되어 있습니다. 10년 전에 근무했던 운일암반일암으로 유명한 주천면의 마을 옆에는 '도화동산'이라는 공원이 있습니다. 새로 조성되는 공원을 끼고 출퇴근하면서 둘레길이 너무 좋아 보건지소 근처의 마을회관을 돌며 마을이장님과 함께 건강을 위해 걷자고 제안했습니다. 겨울이어서 봄부터나 걷겠다는 주민들에게 농한기인 지금부터 습관을 가져야 봄이 오면 더 가볍게 걸을 수 있다고 말했고, 결국 점심 식사 후에 모여 하루도 거르지 않고 스트레칭을 하고 공원 중앙까지 걸었습니다.

그곳에서 스트레칭으로 마무리하고 헤어지곤 했는데 제가 다른 지역으로 발령이 난 후에도 이장님과 주민들끼리 모여 걷기 운동을 한다고 합니다. 그렇게 벌써 10년이 다 되어갑니다. 발령이 났던 다음해에는 주천면의 이장님으로부터 감사편지를 받았는데 동료직원들의 부러움을 듬뿍 받는 행복한 편지였습니다. 그 편지는 제가 어느 곳으로 발령이 나도 항상 챙겨 갔고, 서랍에 고이 넣어두는 보물 같은 편지가 되었습니다.

보내는 사람 高錫榛

진안군 주천면 신양리 816

567-833

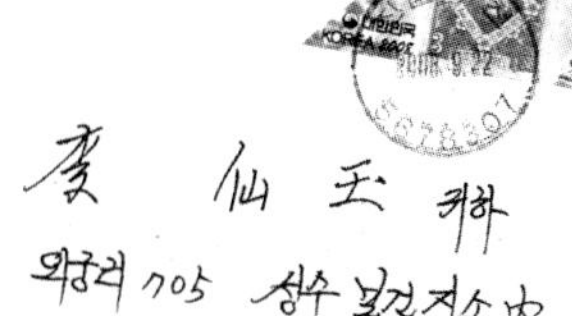

받는사람

李仙玉 귀하

진안군 성수면 외궁리 705 성수 보건지소 内

567-882

이선옥 氏

주천에서의 당신은 새벽창공의 샛별이었습니다.

주천에서의 당신은 사랑과 행복을 나누어준 환한 미소였습니다.

당신은 주천이 필요한 존재였고 보석이었습니다.

현재 보건소에 근무하는 여러분들이 잘못하거나 불친절해서 하는 이야기는 절대로 아닙니다.

모두다 참 잘하고들 계십니다. 그런데 왜 당신이 이렇게 많이 생각나는지 모르겠습니다.

지난 겨울 지독하게도 추울때.

신양리 노인들을 대상으로 체조하고 걷기운동을 자청하여 실행 했을때. 나는 당신을 다시보게 되었고 다시 한번 생각하게 되었습니다.

항상 겸손하고 미소짓고 친절한 당신이 자꾸만 생각 납니다. 이러저러한 자리에서 당신의 이야기가 곧잘 등장하곤 했었답니다. 이쁘고 착하다고…

지금도 보건소에 가거나 그앞을 지나칠때면 문득 당신 생각이 납니다.

심성이 고운 사람이라 그곳에서도 잘하고 계시리라 믿습니다. 언제 다시 만날지 모르지만 퍽 반가울것 같습니다. 나는 당신을 잊지 못할것 입니다. 당신은 빛나는 보석 입니다. 08. 9. 주천 봉소이장 고 석 쵸 올이 특별한 편지도 ‘걸음’이 준 선물이었습니다. 그 외에도 선물은 또 있습니다. 디스크수술로 잘 걷지 못하셨던 어르신이 유모차와 지팡이를 짚다가 나중에는 아무런 도구 없이도 걷게 되는 순간을 보게 되는데 어떻게 행복하고 감사하지 않을 수 있겠습니까.

지금 당장 걸어보세요. 만병통치약 같은 걸음으로 가까운 검진기관에 들러 건강검진도 신청하고 오시면 참 좋겠습니다. 만병통치약과 만병예방약이 ‘걸음’에 있으니까요. 걸음으로 모두가 살아납니다.

## 딱 백일이면
## 몸짱 됩니다

백일이면 몸짱이 된다는 말, 제 어린 아들이 증명했습니다. 좋은 결과를 얻기 위해서는 10만 시간의 법칙을 따라야 한다는 말이 있지만, 그렇게 긴 시간에 해당되는 건 특출난 결과에 대한 것일 겁니다. 몸짱이 되는 데에는 100일이면 충분합니다. 내가 할 일을 다 하면서도 가능합니다. 다이어트를 계획하고 있는 여성들과 몸짱이 되고 싶어 하는 남성분들이 당장 시작해도 좋을 것입니다.

저는 2년 전 보름간의 휴가 때 남편과 시부모님을 모시고 아들이 있는 캐나다로 간 적이 있습니다. 20년 이상 장기근속자에게 주어진 휴가였습니다. 휴가를 마치고 아들만 혼자 캐나다에 남겨놓은 채 우리는 모두 한국으로 들어올 때 아들이 공항에서 이렇게 말했습니다.

"엄마! 나 오늘부터 운동할 거야. 지금은 팔굽혀펴기도 두 개밖에 못하지만 날마다 하다 보면 많이 하겠지. 매일 한 개씩 늘릴 거니까 내 사진 찍어둬. 비포애프터를 알아야 하니까."

저는 대견한 아들에게 잘 생각했다며 응원하겠다고 했습니다. 진짜 매일 할까? 기대 반, 의심 반이 있었지만, 떠나는 엄마에게 응석 부린 것이라 여기고 날마다 운동할 거라고는 생각하지 못했던 것이죠. 그렇게 시간이 지나면서 매일 한 개씩 팔굽혀펴기 개수를 늘리고 있다는 아들의 말을 듣고 사진을 보내달라고 했습니다. 아들은 아직 백일 전이라며 조금만 기다리라고 하며 사진을 보내지 않았습니다. 무엇을 하든지 백일은 해봐야 한다고 강조했던 제 말을 잊지 않았나 봅니다.

백일은 중요한 기간입니다. 아기들이 백일잔치를 하는 이유도, 태어나서 백일은 살아봐야 사람으로 인정받고 해준다는 의미가 있습니다. 환웅이 사람이 되기 위해 백일동안 쑥과 마늘을 먹고 기도한 기간도 백일입니다.

저는 주민들과 걷기운동을 할 때도 최소한 백일은 해야 한다고 말했고, 금연프로그램에서도 백 일간만 끊어보라고 강조합니다. 백 일간의 행동은 자신의 몸에 체화되어 습관이 되기 때문입니다.

저는 아들에게 사진이 오지 않아도, 매일 운동을 하지 않았다고 해도 아무 말도 하지 않았을 겁니다. 항상 멀리 있는 아들에게 미안함을 느끼고 있던 엄마였으니까요. 하지만 얼마 지나지 않아 사진이 날아왔습니다. 상의를 탈의한 아들의 모습이었는데 삐쩍 말랐던 아들에게서 가슴근육도 보이고 어깨도 넓어진 것 같았습니다. 어느새 팔굽혀펴기를 하루에 백 개도 하는 아들로 바뀐 겁니다. 25개씩 나눠서 한다고 했습니다. 그렇게 날마다 한 개씩 늘리더니 175개까지 하게 되었을 때 다시 사진이 왔습니다. 등 쪽을 찍은 사진이었는데 모델이 찍은 게 아닌지 싶을 정도로 멋진 근육질 남성이었습니다. 175일 동안 하루도 거르지 않고 운동하면 이렇게 된다는 것을 알게 된 것입니다.

다음 해인 2016년에 방학을 맞아 처음으로 한국에 들어온 아들은 2백 년 만의 더위라는 한여름 날씨에도 날마다 운동을 했습니다. 더우니까 하지 말라고 해도 아들은 습관이 되었고, 자신과의 약속이라 해야 한다며 눈앞에서 힘 있게 팔굽혀펴기를 했습니다. 아들은 자신의 사진을 사람들에게 보여주지 말라고 했는데 팔불출 엄마는 몇 명에게 자랑까지 했습니다. 그리고 누구나 100일만 운동에 몰입하면 아들처럼 된다고 말해주었습니다. 제 말을 듣고 여러 명이 도전한다고 했고 지금도 도전 중인 사람들도 있습니다. 그들도 확실하게 효과를 보고 있다고 했습니다. 날마다 한다는 것이 어려운 것이지 하기만 하면 좋아지는 것은 당연한 일입니다. 아들도 그렇고 운동을 하고 있다는 사람들이 투자하는 시간은 하루 30분 정도밖에 되지 않습니다.

하루 30분 투자로 백일만 하면 몸짱이 된다는데 도전한 번 해보는 게 어떨까요. 근육이 발달하면 나이 들어서도 든든합니다. 많이 못 움직이는 어르신 중에는 근육이 없고 골다공증으로 뼈가 약해진 탓이 큽니다. 100세 시대에 약한 몸으로 오래 사는 것보다 건강한 몸으로 오래 살아야 하지 않겠습니까.

건강백세를 위해 오늘부터 조금씩 운동량을 늘려가며 백일만 보내보세요. 아들이 말했던 것처럼 운동 전과 운동 후를 비교해보기 위해 사진 찍어 놓는 것도 잊지 마시고요. 물론 운동을 하면서도 정기검진은 꼭 챙기셔야 합니다. 100세 건강 파이팅입니다.

# 몸이 들려주는 말

저를 아는 동료들과 친구들은 제가 건강염려증이 심하다고 말합니다. 저 역시 그렇게 생각할 때가 더러 있습니다. 하지만 건강에 대해 자신하는 것보다 염려하는 게 좋다는 결론을 내렸습니다. 그게 저에게 맞는 방식이라 여기기 때문입니다. 그렇게 결론 내린 후부터는 사람들에게도 건강염려증을 전파해도 되겠다는 생각을 했습니다. 제 몸이 말해주는 작은 이야기들을 듣지 않았다면 저는 분명히 빈궁마마가(자궁적출술)되었고, 대상포진이 걸려 중환자실에서 생사의 고통을 느꼈을 것입니다.

제가 안천면에서 근무할 때 진안군민의 날을 맞아 고리걸기 프로그램에 참여하게 되었습니다. 퇴근 후에 출전할 선수들과 함께 고리걸기 연습에 매진하고 있었는데 제 몸에서 자꾸 이상 신호를 보내왔습니다. 밤늦게까지 일해서 피곤하겠거니 하며 대수롭지 않게 넘겼습니다. 감기기운에 약을 지어먹고 주말에는 일찍 자고 늦게 일어나면서 휴식을 취했습니다. 하지만 아침에 개운하지 않은 몸으로 일어나면서 걱정이 되었습니다. 몸은 이렇게 말하고 있었습니다. '몸에 이상이 왔는데 왜 자꾸 바쁜 일정을 핑계 대며 쉴 생각을 하지 않느냐!' 고 말입니다. 간헐적으로 통증이 왔고, 한쪽만 아파오는 게 대상포진 증상이 아닌지 의심되었습니다. 순간 아뿔싸 하는 생각에 얼른 병원에 갔습니다. 이비인후과에 들렀는데 의사 선생님도 대상포진이 의심된다며 처방을 해주었고 조기에 치료를 받았습니다. 2002년에 정기검진을 받으며 자궁근종 수술을 받았던 기억이 떠오른 것이었습니다. 대상포진에 걸리고도 입원하지 않고 치료를 받은 겁니다. 힘들었는데 얼마나 다행인지 모릅니다. 제가 건강염려증이 없었다면 감기약만 먹다가 대상포진이 악화되어 많이 고생했을 것입니다.

15년 전으로 거슬러 올라가 2002년에는 하마터면 빈

궁마마가 될 뻔도 했습니다. 아들을 낳았던 산부인과에서 정기검진을 받았는데 자궁에 붙은 혹이 크다며 큰 병원으로 가보라는 것이었습니다. 저는 의사의 말을 듣자마자 혹시 '암'이 아닐까 하는 생각에 정신이 없었습니다. 마침 진단을 내려준 병원과 대학병원이 가까워서 얼른 달려가기 위해 급하게 차에 올라탔습니다. 만약 '암'이라면 이제 두 돌이 지난 아들은 어떻게 되는 것인지 오만가지 걱정에 사로잡혔습니다. 주차장에서 시동을 걸고 빠져나오려고 후진하던 중에 쾅 하고 부딪쳤습니다. 시멘트 기둥을 못 본 것이었지요. 내려서 보니 제 차의 뒤범퍼는 푹 들어갔고 시멘트 기둥은 멀쩡했습니다. 그런 것은 저에게 문제가 되지 않았습니다. 주행에는 이상이 없어서 대학병원으로 차를 몰고 갔습니다. 검사를 받고 일주일 후에 나온 결과로 수술까지 받았습니다. 다행히 자궁에 붙은 혹이 암은 아니었기에 간단한 복강경 시술로 제거했습니다. 의사의 말이 조금만 늦었으면 자궁까지 들어냈어야 했다고 했습니다. 평소 건강관리를 한답시고 했는데 억울한 생각까지 들면서 이유가 뭐냐고 물었습니다. 정확한 원인은 없지만 인스턴트식품을 많이 먹었거나 운동량이 부족해서라는 말을 들었습니다. 인스턴트음식은 저와 해당이 없었고 운동량이 부족하다는 말에는 수긍이 갔습니다.

수술을 마친 후부터는 의식적으로 운동하기 시작했습니다. 약한 몸으로도 할 수 있는 걷기부터 시작해서 아침저녁으로 하던 스트레칭 시간도 늘렸습니다. 후배가 추천해준 단월드에 당장 등록하기도 했습니다.

저는 정말 건강염려증이 있고 어떻게 보면 심각하기까지 합니다. 약한 몸으로 살아왔고 보건소 직원으로 근무하면서 중증질환을 많이 본 이유도 있어서입니다. 몸에서 조금이라도 이상 징후가 느껴지거나 찜찜한 기분이 들면 곧바로 병원에 달려갑니다. 정말 건강하게 살고 싶습니다. 건강한 몸으로 동료들과 면민들에게 모범을 보이는 것은 당연한 일이라고 생각합니다. 멀리 있는 외동아들에게도 건강한 엄마의 모습만 보이고 싶었습니다.

이 책을 보는 독자님들에게도 부탁드립니다. 몸에서 보내오는 작은 신호를 계속 무시하지 않았으면 합니다. 감기 증세가 있을 때 약국에서 종합감기약을 지어 먹고는 대충 넘어가지 말아주세요. 감기는 모든 질병의 시작입니다. 증세가 나타난 것은 몸의 주인에게 신호를 보내는 것입니다. "주인님! 몸이 피곤하니까 조금 쉬어주세요"라고 말입니다. 무리하게 몸을 움직이면서 약만 먹는다면 치료가 오래 걸릴 수도 있습니다.

감기 걸려서 약을 먹으면 7일 뒤에 낳고 약을 먹지

않으면 일주일 뒤에 낳는다는 말을 들어봤을 겁니다. 약을 먹고 무리하게 움직이는 것보다 약을 먹지 않고 제대로 된 휴식을 취하면 일주일이 걸린다는 우스갯소리이기도 합니다. 그냥 웃고 넘기기에는 요즘 우리들의 삶이 너무 휴식 없이 지내고 있다는 생각이 듭니다. 직장생활을 하든 사업을 하든 모두 휴식이 없습니다. 몸에서 제발 쉬어달라고 애걸하다가 주인이 말을 안 들어서 감기증세로 표현하는 것입니다.

몸은 여러 가지 형태로 우리에게 말을 걸어옵니다. 갑자기 가려움을 주기도 하고 콧물과 함께 열을 내기도 합니다. 멍하기도 하고 졸음이 많아지기도 하고, 소화가 안 되기도 합니다. 답답하기도 하고 쑤셔오기도 합니다. 하룻밤을 푹 잠을 잔 후에도 증세가 호전되지 않았다면 곧바로 병원에 가서 진찰을 받아보시면 좋겠습니다. 몸이 제발 자기 이야기를 의사에게 들려달라고 말하는 것입니다. 의사 선생님에게 꼭 들려주세요. 건강을 자신하며 하루 이틀 넘기다가 몸속에서 어떤 일이 벌어질지는 아무도 모르는 것이니까요.

차라리 주위에서 잔소리를 듣더라도 저처럼 건강염려증이라도 생기는 게 훨씬 좋다고 생각해주세요. 지금 몸에서 하는 말이 들리나요?

# 암수술 중 선물한 해외여행

사람들과 얼마나 교류하고 있나요? 좋은 사람들과 정기적인 모임을 하게 되면 인생을 살아가는 데 있어서 활력도 얻고 정보를 얻을 수 있게 됩니다. 저는 매주 토요일 새벽 6시 40분부터 시작하는 토요독서모임에 3년째 다니고 있고, 오래전부터 초등학교 동창 친구들과의 모임도 이어나가고 있습니다. 두 모임 모두 제가 참 좋아하고, 아끼고 있기에 빠지지 않고 참석하려고 합니다. 특히 초등학교 동창 모임에는 각별한 애정이 있습니다. 시골의 작은 마을에서 자란 친구들이다 보니 가족관계는 물론 숟가락 숫자까지 안다고 할 정도로 속속들이 알고 지냅니다. 고향 친구들이 어른이 되어 만나니까 얼마나 반갑고 애정이 솟는지 짐작하실 거라 봅니다. 각자의 일상을 살다가도 만나게 되면 언제 떨어져 있었냐는 듯 옛 시절로 돌아가는 느낌을 받으며 모임 때마다 반갑게 만나곤 합니다.

작년 11월에도 모임이 있었습니다. 우리는 서로 좋은 영향을 줄 수 있는 사람들끼리 떠나는 여행의 즐거움에 대해 이야기 하다가, 중국 여행을 계획하게 되었습니다. 후불제로 운영한다는 여행사에 명단을 넘기고 친구들이 회원가입을 하면서 계획은 시작되었습니다. 여행을 가겠다고 계약서에 사인한 것만으로도 행복해질 수 있다는 사실을 그때 처음 알게 되었습니다. 일상의 스트레스가 벌써 사라지는 것 같았고 우리는 한 번도 가지 않았던 여행지에 대해 정보를 나누기 시작했습니다.

그런데 그즈음 한 친구가 2년 만에 정기검진을 받게 되었는데, 2차 검진이 필요하다고 했습니다. 초음파 검사까지 해야 한다는 것이었습니다. 걱정이 되었지만 그래도 검진으로 인해 더 세밀한 검사를 하게 되어 다행이라는 생각이 들었습니다.

친구는 유방암 초기 진단을 받아 수술 날짜를 정하

고, 수술하게 되었습니다. 그 무렵, 여행사에서는 저에게 전화를 걸어왔습니다. 제 친구와 연락이 되지 않아 확인차 전화한 것이었습니다.

"그분과 연락이 안 되는데요, 혹시 이유를 아시나요?"

"병원에 입원해있어서 못 받았을 텐데, 다시 연락해보세요."

친구의 암수술이 있었다는 제 말을 들은 여행사 대리점 대표는 매우 놀라며, 그러면 여행을 취소해야 하는 것 아니냐고 물었습니다. 저는 곧바로 여행을 취소할 생각이 없고 친구도 함께 출발할 거니까 일정대로 진행해달라고 말했습니다. 저는 여행사 대표에게 걱정하지 말라는 말까지 덧붙였습니다.

초기에 유방암을 발견한 상태이고, 수술을 무사히 마쳤으니 더 이상 걱정할 이유가 없었습니다. 오히려 친구가 더 빨리 일어날 수 있는 이유가 필요하다고 생각했습니다. 이럴 때일수록 멋진 계획이 준비되어 있어야 의지가 더 강해집니다. 여행이라는 계획은 사람을 기대하게 하고, 힘을 내게 하는 원동력이 되어주기 때문입니다.

보통 사람들은 병원에서 암 진단을 받게 되면 심리적으로 매우 불안해하고 좌절하기까지 합니다. 지금까지는 건강 걱정이 없었는데, 검사를 한 뒤 '암'이라는 단어만 듣고도 포기해버리는 일들이 생겨납니다. 자신의 삶이 '암'이라는 한 글자로 모든 게 끝나버렸다는 착각을 하는 것이죠. 하지만 진단이라는 것은 병명만 나오는 것이지 인생을 송두리째 바꿀 만큼 대단한 선고는 아니라는 사실을 알았으면 좋겠습니다. 상황은 얼마든지 달라질 수 있습니다. 병이 그 사람에게 달라붙어서 흔들 수는 있어도, 완전히 지배하지는 못합니다. 마음가짐과 행동에 따라 병은 이겨낼 수도, 그대로 받아들일 수도 있으니까요.

친구가 서울에 있는 병원에서 수술을 마친 직후 전주 병원으로 옮겨오게 되었습니다. 수술 직후에 많이 약해져 있을 환자에 대해 잘 알고 있기에, 시간을 두면서 병문안 선물을 생각하게 되었습니다. 선물이라는 것은 정해져 있지도 않고, 식이요법을 하며 회복이 가장 우선시되는 환자에게 정말 필요한 선물을 찾기란 어렵습니다. 얼마 전 원광대학교 의과대학의 오경재 교수가 감염병에 관한 강의를 한 적이 있습니다. 지인이 입원하면 병실 번호를 물어볼 게 아니라 계좌번호를 물어보라는 말에 굉장히 공감할 수 있었습니다. 삭막한 이야기라고 생각하실지 몰라도, 저는 현명한 행동 중 하나라고 봅니다. 내 마음이 편하려고 병문안을 가는 경우가 많습니다. 진정으로 환자를 위하는 방법으로 기도와 계좌번호가 있다는 것도 나름대로 센스 있는 문병이 될 것입니다. 그리고 문병갈 때 죽을 사가는 경우가 있는데요. 죽 전문점에서 구입하면 양이 많습니다. 주문할 때 두 개로 나눠서 포장해달라고 하면 좋습니다. 위생적인 상태로 다음 끼니에도 먹을 수 있다는 장점이 있습니다.

저는 음식이나 꽃 같은 선물보다 환자에게 정말로 필요한 것이 무엇인지 생각했습니다. 스스로 자신의 몸을 만지면서 기운을 차리게 해주고 싶었습니다. 암 환자들은 림프종 순환이 원활하지 않기 때문에, 힘주어 주무르기보다는 만져주는 정도의 가벼운 마사지도 필요하기에 혼자서 할 수 있는 운동기구를 준비했습니다. 저는 준비해간 마사지기구로 시연을 해주며 30분 마사지와 굴림 마사지로 전신이 서서히 풀리게 하면서 독소 배출이 되는 과정까지 알려주었습니다. 이후에는 친구가 자극적인 운동보다는 몸의 기운을 느끼고 이 운동기구를 더 잘 활용할 수 있도록 제가 다니는 단월드의 센터장과 동행해 병원을 함께 가기도 했습니다. 친구는 지금도 마사지를 잘 활용하고 있고 건강에 도움이 되고 있다고 합니다.

병문안 문화라는 것은 눈에 보이는 물건보다 진심을 담아서 가는 것이 중요하다고 생각합니다. 백 마디 말보다 손잡고 위로해주는 것이 중요하고, 또 나의 시간에 맞추는 게 아니라, 환자의 상태에 따라 시간을 정하는 것도 필요합니다. 어느 때는 찾아가지 않고 편지를 하는 것도 나쁘지 않을 것입니다. 나를 위한 병문안이 아닌, 오로지 환자를 위한 시간이 되어야 합니다.

병원에서 회복 기간을 거친 친구는 여행사와 통화를 하게 되었고, 여행을 취소하지 않았습니다. 누군가는 무리한 계획이라고 생각할지 모르지만 효과 있는 선물이 되었다고 생각합니다. 여행을 꼭 가고 말겠다는 친구의 결심이 있었기에 상태는 날마다 좋아졌습니다.

저는 이렇게 가까운 사람이 초기에 암을 발견해내고 회복해가는 과정을 보면서 치료 단계도 누군가의 도움이 필요하다는 생각이 강하게 들었습니다. 제가 일하는 면 소재지의 주민들뿐만 아니라, 주위 사람들에게도 검진을 알리고, 그들에게 줄 수 있는 정보와 회복 방법을 전하려고 합니다. 회복 단계에서의 마음가짐이 얼마나 중요한지, 계획의 힘은 병도 이겨낸다는 걸 환자와 가족들 모두가 느낄 수 있었으면 합니다. 아무리 무서운 질병이라도 '희망'의 일정이 있다면 그것은 분명히 특별한 선물이 될 것입니다.

정기적인 검진도 받으시고, 치료 중인 지인들과 퇴원 후의 멋진 계획에 대해서도 이야기 나누어보시길 바랍니다. 진심이 담긴 선물이 환자의 치료에 반드시 도움이 된다는 사실도 기억하시고요.

# 치매환자 위치추적

잠을 자려고 불을 끄자마자 전화벨이 울렸습니다. 엄마였습니다. 자정이 넘은 그 시각에 걸려온 전화는 불길한 예감이 들게 했지만, 전화기 너머 엄마의 목소리는 차분했습니다. 하지만 그 내용은 충격적이었습니다.

"네 아버지가 아직도 집에 안 들어오셨다."

엄마는 초저녁부터 집에 들어오지 않은 아버지를 찾다가 찾다가 결국 저에게 전화를 한 것이었습니다.

"언제 나가셨는데? 아니 왜 이제야 말하는 거야?"

저도 모르게 큰소리로 화를 내는 바람에 엄마는 움찔했습니다. 늦게까지 안 들어오시는 아버지가 걱정되어 당황하느라 혼자서 여기저기 찾아다니며 헤맸을 엄마에게 큰소리부터 칠 게 아니었는데 말입니다.

치매환자들이 실종되면 제일 먼저 찾아볼 곳이 고향의 선산이나 예전에 살던 집(시골), 혹은 자주 가는 장소라는 걸 교육을 통해 배웠던 게 기억났습니다. 그래서 혹시 시골집에 가셨나 싶어서 고향에 있는 친척 언니에게 가장 먼저 전화했습니다. 전화로 상황 설명을 하고 빈집이지만 한번 가보라고 하고 기다렸는데, 곧 연락이 와서는 그 집은 밖에서 대문도 잠겨있고 불도 꺼져있다고 했습니다.

엄마는 평소 아버지가 다니시던 학교 운동장과 집 근처 공원과 산책길을 무릎 아픈 줄도 모르고 찾으시다가 저에게 제일 첫 번째로 전화한 것입니다. 엄마에게 큰소리를 쳐서 미안한 마음보다 들어오지 않으신 아버지가 더 걱정되었습니다. 전화를 끊고 얼른 신랑을 깨워 엄마 집으로 달려갔습니다. 언니들과 동생에게 전화를 할까 하다가 이 깜깜한 밤중에 의미도 없이 걱정만 줄 것 같아서 연락하지 않았습니다. 저는 우선 엄마를 안정시키고, 아버지가 입었던 복장을 물어보고 아버지 신분증을 들고 경찰서에 가서 실종신고를 했습니다.

신고를 마친 후에는 엄마와 차를 타고 동네 골목골목과 인근의 야산까지 올라갔다 왔습니다. 그러면서 별별 생각을 다하며 아버지는 어디로 가셨을지 온갖 추측을 다 해보았습니다. 결국 엄마와 함께 한숨도 못 자고 걱정만 하다가 날이 밝아왔습니다. 그때야 언니들과 동생에게 소식을 전했습니다. 부산에 사는 언니까지 비상이 걸렸습니다.

전주에 사는 언니들은 집으로 바로 달려왔고 저는 보건소에 연가를 냈습니다. 출근한 동생에게는 선산과 시골집을 한번 잘 찾아보라고 하고 다시 파출소에 가려는데 친척 언니에게 전화가 왔습니다. 아버지가 시골집에서 주무셨다는 연락이었습니다.

"어젯밤에 안 오셨다고 했는데 어떻게 된 거예요?"

아버지는 내일이 시골농협조합장 선거라는 뉴스를 보고 투표를 하러 가신 것입니다. 경로당에 간 엄마에게는 말도 없이 시골집에 가셨습니다. 대문 열쇠를 안가지고 갔으니 한쪽이 무너진 담장 사이로 들어가서 주무셨고, 아침이 되어 식사를 해야겠다는 생각에 친척 언니 집으로 갔던 것입니다.

저는 실종신고를 해제하고 동생은 고향집에 가서 울면서 아버지를 모시고 왔습니다. 몇 해 전에 치매진단은 받았지만 정말 치매일까 하는 의심이 될 정도로 아버지는 거의 정상적으로 생활하고 있었으니, 그때 사건으로 가족들의 충격은 컸습니다.

우리는 모여앉아 회의를 했습니다. 또다시 이런 일이 일어나지 않을 것이라는 보장이 없으니 대책을 마련하고자 했습니다. 그때 저는 가족이 걱정하는 것보다 더 심한 걱정과 죄책감에 시달리며 고통스러워 했습니다. 아버지가 사라진 것이 제 책임은 아니었지만 얼른 찾을 수도 있었던 장치를 저는 알고 있었으니까요. '치매어르신 실종방지인식표'라는 제도가 있습니다. 치매 어르신들의 실종을 방지하고 신속하게 가정 복귀가 가능하게 하는, 경찰청에 등록된 고유번호가 기재된 인식표입니다. 경찰청에서 위치정보를 파악할 수 있고 인식표에는 연락처가 새겨져 있습니다. 보건소에 표를 신청하면 배포했고 간편하게 옷에 다림질만 하면 되는 인식표였습니다. 환자가 자주 입는 옷이나 가방과 속옷에 부착할 수 있습니다.

그 업무를 담당하는 보건소 직원 딸이 달아드리지 않은 것이었죠. 자랑스러운 보건소 공무원 딸이라고 여기는 부모님과 형제들에게 그 이야기는 차마 할 수가 없었습니다. 마을회관에 출장 다니면서 '치매어르신 실종방지인식표' 홍보를 하고 다니는 제가 어떻게 치매진단까지 받은 아버지에게 달아드리지 않았는지 스스로 너무 원망스러웠습니다. 가족들에게 비난 받고 큰언니에게 혼이 날까봐 결국 끝까지 말하지 못했습니다. 제가 할 수 있는 것은 아버지가 무사히 집으로 돌아오게 해달라는 기도밖에 없었습니다.

이제 아버지가 치매증세가 심하다는 것을 알게 되었습니다. 우리 자매들은 아버지가 혼자 또 나가실 수 없도록 그날로 바로 아파트 현관문 안에서 열쇠로 문을 잠글 수 있도록 3중장치를 했습니다. 결국 제가 치매환자실종 방지인식표를 신청하겠다는 이야기를 꺼냈다가 언니들에게 많이 혼나기도 했습니다. 그렇게 가족 대책회의를 마치고 나니 동생이 아버지를 모시고 들어오는데, 아버지는 아무렇지도 않게 "왜 이렇게 출근들도 안하고 다 모였냐"고 하셨습니다. 우리는 흐르는 눈물을 닦으며 아버지를 안아드렸고 안방으로 모셨습니다. 밤새 추운데서 잠도 못 주무셨을 테니 주무시라고 한 후 각자 일터로 떠났습니다.

그 일이 있고나서 치매환자들을 위한 선별검사를 열성적으로 하게 되었고 이상반응을 보이거나 의심이 가면 감별검사를 받게 했습니다. 치매진단이 나오면 투약지도와 맞춤형 방문보건사업에 등록 관리하고 해당자에게는 치매치료비 지원까지 신청해주었습니다.

아버지의 실종을 겪으면서 저는 제가 할 일을 다시금 되새기고 치매관리사업을 보다 더 열심히 하는 계기로 삼았습니다. 딸로서는 꼴등이었다는 생각에 다른 집들은 저 같은 불상사가 일어나지 않도록 해야겠다는 사명감까지 생겨난 것입니다. 늘 아버지를 존경하고 있다고 자랑하면서도 정작 큰 불효는 저 혼자 다 했던 날이었습니다.

KBS '명견만리' 프로그램과 책에도 치매에 대해 자세하게 나와 있습니다. 3초에 한 명, 1분에 20명, 한 시간에 1,200명 씩 늘고 있는 것이 전 세계 치매 환자 숫자라고 합니다. 10년 뒤에는 치매인구가 100만 명이 되어 대한민국의 모습이 바뀔 것이라는 학자도 있습니다. 또한 80세~84세가 되면 5명 중 1명이, 85세가 넘으면 2명중 1명이 치매로 고통 받게 된다고 합니다. 마치 치매 사회처럼 말이죠. 급기야 2050년에는 세계 치매 환자가 1억 명이 넘을 것이라는 전망까지도 나왔습니다. 학계는 이미 치매를 '흔한 질병'으로 분류하고 있다고 합니다. 우리나라에서 가장 흔한 치매는 알츠하이머에 의한 치매(50~60%)와 혈관성치매(20~30%)입니다. 알츠하이머는 뇌에 이상단백질이 쌓여서 뇌세포를 서서히 죽이면서 진행한다면, 혈관성 치매는 뇌경색이나 뇌출혈 등으로 뇌혈관에 문제가 생겨서 발생한다고 합니다.

제 아버지도 당뇨로 인한 뇌경색 발병 후 혈관성치매로 진단을 받았습니다. 두 가지 모두 완치단계에 이르는 치료법은 없고 속도를 늦추면서 증상을 완화 하는 방법밖에는 없다고 합니다. 하지만 정말 다행스럽게 치매도 암처럼 예방 가능한 질병이라고 합니다. 그래서 국가가 나섰습니다. '치매예방에 대한 교육'과 '치매조기검진'이 굉장히 중요하기 때문에 보건기관에서 조기발견을 위해 강화하는 것입니다. 제가 일하는 진안군에서는 치매선별검사와 함께, 치매환자뿐만 아니라 치매가족 및 건강한 노년을 위한 치매예방 및 치매인식교육을 310개 전 마을에서 몇 년째 하고 있습니다. 그 결과 '전라북도 치매예방관리사업 최우수기관상'을 수차례 받기도 했습니다. 아들과 떨어져 있느라 열심히 일해서 암검진 수검률 1위를 올리더니 이번에는 아버지의 실종을 겪고 치매관리사업 최우수상까지 받게 되었네요.

치매예방법으로는 '건강생활실천운동'을 위한 교육

및 캠페인을 열심히 하고 있습니다. 치매가 의심되면 누구나 부담 없이 검사를 받으러 전국 보건소로 갈 수 있어야 합니다. 이제는 치매도 커밍아웃이 필요하고, 가족과 이웃이 더 이상 치매환자를 부끄럽게 여기지 않아야 합니다. 오히려 적극적으로 알리는 게 좋습니다. 나와 우리 가족에게도 일어날 수 있는 치매라는 걸 인식하고, 감기처럼 흔한 질병처럼 생각하라는 것입니다. 이 글을 보는 분들 주변에 혹시 치매의심환자나 실제 환자가 있다면 〈치매어르신 실종방지 인식표〉를 꼭 신청해서 부착해 드리세요. 저처럼 말도 안 되는 실수는 안하시길 바랍니다.

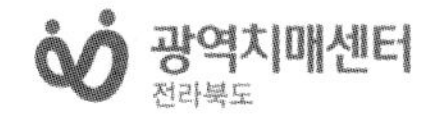


## 이용할 수 있는 서비스

### 치매어르신 실종방지인식표 배부 신청

치매로 실종이 염려되는 어르신의 실종 방지 및 실종 치매 어르신의 신속한 가정 복귀를 위해 경찰청에 등록된 고유번호가 기재된 인식표를 치매 어르신에게 배부하고, 치매 어르신 실종 시 인식 표의 고유번호 확인을 통해 가족을 찾아주고 있습니다.

가족들이 찾고 있는 분입니다.
연락주세요!
복지부 희망의 전화 국번없이 129
경찰청 국번없이 182
K00000

**1. 누가 받나요?** 만 60세 이상 치매 노인

**2. 무엇을 받나요?**

실종이 염려되는 치매 어르신에게 인식표를 무료로 배부

인식표는 경찰청에 등록된 고유번호가 기재되어 있습니다.

다림질로 간편하게 옷에 부착 가능하여 실종 시 옷에 부착된 인식표의 고유번호를 통해 가족을 찾을 수 있습니다.

**3. 어떻게 신청하나요?**

전라북도 14개의 시군 보건소 치매상담센터에서 인식표 신청을 받고 있으며, 어르신의 주민등록 관할 보건소에 신청하면 됩니다.

인식표 신청서를 작성하여 어르신의 신상정보 공유 동의서와 함께 방문이나 우편 제출해 주시면 됩니다.

# 치매 자가진단

### ✣ 기억력 평가문항

**다음의 문항을 읽으면서 일치하는 것에 V 표시를 하십시오.**

| | 질문 | 예 | 아니오 |
|---|---|---|---|
| 1 | 기억력에 문제가 있습니까? | ☐ | ☐ |
| 2 | 기억력은 10년 전에 비해 저하되었습니까? | ☐ | ☐ |
| 3 | 기억력이 다른 사람들에 비해 나쁘다고 생각합니까? | ☐ | ☐ |
| 4 | 기억력 저하로 일상생활에 불편을 느끼십니까? | ☐ | ☐ |
| 5 | 최근에 일어난 일을 기억하는 것이 어렵습니까? | ☐ | ☐ |
| 6 | 며칠 전에 나눈 대화 내용을 기억하는 것이 어렵습니까? | ☐ | ☐ |
| 7 | 며칠 전에 한 약속을 기억하기 어렵습니까? | ☐ | ☐ |
| 8 | 친한 사람의 이름을 기억하기 어렵습니까? | ☐ | ☐ |
| 9 | 물건 둔 곳을 기억하기 어렵습니까? | ☐ | ☐ |
| 10 | 이전에 비해 물건을 자주 잃어버립니까? | ☐ | ☐ |
| 11 | 집 근처에서 길을 잃은 적이 있습니까? | ☐ | ☐ |
| 12 | 가게에서 사려고 하는 두세 가지 물건의 이름을 기억하기 어렵습니까? | ☐ | ☐ |
| 13 | 가스불이나 전깃불 끄는 것을 기억하기 어렵습니까? | ☐ | ☐ |
| 14 | 자주 사용하는 전화번호(자신 혹은 자녀의 집)를 기억하기 어렵습니까? | ☐ | ☐ |

**※ 6개 항목 이상에 '예'라고 표시될 경우 가까운 보건소에 가서 치매조기 검진을 받아 보십시오.**
**점수가 높을수록 주관적 기억감퇴가 심한 것을 의미합니다.**

# 치매 예방 방법

## ✤ 치매를 예방하는 방법

- **운동** 일주일에 3번 이상 걸으세요.
- **식사** 생선과 채소를 골고루 챙겨드세요.
- **독서** 부지런히 읽고 쓰세요.
- **금연** 담배는 피우지 마세요.
- **절주** 술은 한 번에 3잔보다 적게 마시세요.
- **뇌손상 예방** 머리를 다치지 않도록 조심하세요.
- **건강검진** 혈압, 혈당, 콜레스테롤을 정기적으로 체크하세요.
- **소통** 가족과 친구를 자주 연락하고 만나세요.
- **치매조기발견** 매년 보건소에서 치매조기검진을 받으세요.

## ✤ 치매예방에 좋은 음식

잡곡밥

고등어

카 레

두 부

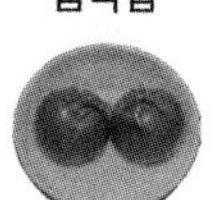
토마토

견과류

비타민C

신선한 채소

# 간무사부회장 이선옥입니다

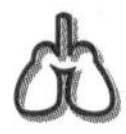

간무사는 간호조무사를 줄여 부른 것입니다. 저는 2016년 3월부터 3년의 임기 동안 전라북도 간무사 부회장을 맡게 되었습니다. 전국에는 70만 명의 간무사가 있고 전북지역은 8천여 명의 회원으로 막중한 직책을 맡게 된 것입니다.

7년 전부터 진안군에서 간무사분회장을 맡고 있었는데, 어느 날 전라북도 부회장 제안을 받게 되었습니다. 당시만 해도 연거푸 고사하며 절대 하지 않겠다고 선을 그었습니다. 하지만 협회의 발전을 위해 열심히 일하는 지역회장이 있었고, 다수의 회원들과 임원진들이 협회발전을 위해서 제가 힘을 실어주면 좋겠다고 했습니다. 꼭 후배들을 위해 함께 해주라는 말이 있었고, 저 역시 간호조무사 자격으로 시작해서 보건직 공무원이 된 것을 상기하면서 출마를 결심했습니다. 이왕 출마를 결심했으니 소신껏 봉사하겠다는 의지를 가졌고, 만약 당선이 되면 간무사 협회를 위해 최선을 다하겠다고 출마의 변을 밝혔습니다.

그중 '의미 있는 변화'에 대해 질문을 던지고 제가 답한 바가 있습니다. 변화란, 몇 명의 지도자에 의해서 변화되는 것이 아니라, 사람들이 서로 손잡고 각자 작은 실천이라도 쉼 없이 해나가야 이룰 수 있다는 걸 강조했습니다. 이 사실을 우리는 역사를 통해서 느끼고 있습니다. 그리고 저에게 부회장이 되는 기회가 주어진다면, 후배들에게는 멘토가 되고 임원진과 회장에게는 조력자가 되어줄 것이고, 협회의 발전과 성장을 위한 가치 있는 일에 동참하겠다고 했습니다.

이 발표 이후로, 194명의 선거인단이 참여한 투표에서 177표의 높은 득표율로 부회장이 되었습니다. 명예직도 아니고 월급도 없고 하다못해 일체의 개인지원이 없는 일을 왜 하느냐는 주변인들도 있었지만, 그럼에도 열악한 협회에 내 작은 봉사를 필요로 하고 도움이 된다면 이 또한 가치 있는 일이라 생각하고 동참하기로 했습니다. 처음부터 꿈꾸었거나 꼭 해보고 싶었던 일은 아니더라도 제가 할 수 있는 일이라고 생각했으니까요. 그냥 허울뿐인 임원으로 남기는 싫었습니다. 더구나 출마연설까지 했고, 회원들이 저에게 많은 표를 줘서 당선이 될 수 있었습니다. 그것에 보답하고, '표' 나도록 일하고 싶었습니다. 무엇부터 시작하면 좋을까, 생각해보았을 때 가장 시급하게 다가왔던 문제는 바로 간무사들의 처우개선과 자존감 회복이었습니다.

제가 공무원이 되기 전, 개인병원에서 잠깐 일했을 때 간무사들이 어떤 처우를 받는지 경험한 이야기를 앞서 했습니다. 간무사들은 자존감이 떨어진 상태였고 이에 마음이 상했었습니다. 제가 부회장으로 있는 동안 그 자존감을 반드시 끌어올려야겠다고 생각했습니다. 곧 '교육'을 떠올릴 수 있었습니다. 예전부터 보수교육은 있었지만 강제성이 없었기에 참여가 매우 적었습니다. 2017년부터는 자격신고로 전환이 되어 법정의무교육을 받아야 합니다. 국가로부터 명실상부한 의료인으로 인정받게 되었고 그에 따른 책임까지 따르게 되었습니다.

간호조무사 또한 병원에서 일하는 사람입니다. 의사와 간호사처럼 스스로 전문직이라는 인식만 가지면 자존감은 저절로 높아집니다. 저는 노동법을 공부해서 병원에 시정요청을 했고, 결국엔 말했다시피 직장에서 잘리게 되었지만 병원에 남아있는 동료들은 이전보다 훨씬 좋아진 상태에서 근무하게 되었다고 들었습니다.

이 이야기는 사실 옛날이야기라고 할 수 있습니다. 지금은 그런 병원이 존재할 수 없을 만큼 투명하고 민주적인 환경이 되었습니다. 하지만 아직도 해결되지 않은 문제는, 저를 비롯한 간무사들의 자존감 회복입니다. 그러기 위해서는 정규 간호조무사학과를 통해 제대로 된 교육시스템 안에서 배움이 있어야 한다고 생각합니다. 그래야 당당하게 인정받고 보건의료정책의 일환으로 환자들에게도 더 좋은 의료서비스를 실행할 수 있겠다는 생각이 듭니다. 간무사 교육을 받을 때부터, 우리는 책임감과 자존감을 만들어놔야 합니다.

실력부터 기반이 되어야 한다는 생각에 중앙회가 주관하는 교육에 참여하도록 유도했습니다. 정기적으로 치러지는 보수교육을 제대로 받아야 변화된 의료법 개정안도 듣고, 친절 교육과 함께 자기계발도 할 수 있어서입니다.

간호조무사의 윤리강령을 보면 우리가 얼마나 자랑스러운 일을 하고 있는지 느껴집니다. 이러한 자부심을 가지지 못하고 있는 것 같다는 안타까움에, 윤리 강령을 실어봅니다.

> **간호조무사 윤리강령**
>
> **하나.** 우리는 국민의 한 사람으로서 준법정신에 투철하며 국민보건향상을 위하여 헌신한다.
> **하나.** 우리는 환자의 빠른 쾌유를 위하여 사명감에 충실하고 정신건강 향상을 위한 조언자가 된다.
> **하나.** 우리는 간호인으로서 자부심과 긍지를 갖고 우리 일터의 발전을 위해 최선의 노력을 다한다.
> **하나.** 우리는 보건의료인의 일원으로서 공익성을 중시하고 정직한 행동으로 상호 협조한다.
> **하나.** 우리는 자기계발에 부단히 노력하고 나이팅게일의 숭고한 봉사정신을 실천한다.

찬찬히 읽어 보면, 어느 것 하나 아름답지 않은 것이 없습니다. 국제시장이라는 영화를 보신 분들도 많을 겁니다. 독일에 광부와 함께 간호사를 파견했던 것 기억하시죠? 그때 파견된 전체간호인력 10,032명중 우리 건무사선배님들의 숫자만 4,051명입니다. 절반이 우리 선배님들인 것입니다.

윤리강령에 나와 있는 간호조무사의 진정한 모습과, 자랑스러운 선배님들을 위해서라도 간무사의 위상과 자존감을 찾게 되면 지금보다 훨씬 좋아진 의료 환경이 될 거라 확신합니다. 간무사들도 의료인이고, 전문자격증을 가지고 있다는 사실을 알아주셨으면 좋겠습니다. 간무사가 태어난 1967년부터 지금까지 보조 인력의 굴레에서 벗어나 2017년 1월부터는 의료인력으로 인정받은 전문직이 되었습니다. 간무사 본인조차 전문직이라고 생각하지 않는 상태에서 다른 사람들에게 인정받기란 힘든 일입니다. 우리는 이제 시도지사가 아닌, 보건복지부장관 자격으로 격상이 되었습니다. 간호간병통합서비스를 제공하는 간호 및 진료보조업무를 수행하는 인력으로 독립적 업무수행이 가능하게 되었다는 사실도 알고 계셔야 합니다. 우리가 의료인이라는 사실을 잊어서는 안 됩니다.

2016년에는 지역회장이 부재였을 때 간무사 대표로서 보건복지위원 김광수 국회의원과 함께 '찾아가는 보건의료정책 간담회'에 참석한 적이 있습니다. 병원에서 일하는 많은 직종의 종사가가 있는데 우리를 의료인으로 대우하고 보건의료정책간담회에 공식초청을 한 것입니다. 종합병원과 시골의 개인병원 구석구석까지 환자와 가장 가까이 마주하고 손잡아주는 우리는 자격이 있다고 생각했습니다. 간무사 협회에 마이크가 넘어 왔을 때, "안녕하세요! 간호조무사협회 부회장 이선옥입니다!"라고 말하며 태어나서 처음 맞춘 명함으로 인사를 했습니다. 그리고 그곳에 모인 복지부 정책관과 각 의료협회의 임원들에게도 함께 윈윈하는 여러 가지 사안에 대해 당당하게 의견을 냈습니다. 의료단체와 공기관들로부터 긴밀한 협조를 얻어내기도 했습니다. 의료계와 보건복지부 전체와 원활한 소통을 하려는 우리의 이야기와 애로를 말했고 긍정적이고 우호적인 협조를 얻어냈습니다. 우리는 숭고한 봉사정신을 가진 나이팅게일임을 항상 잊지 않았으면 좋겠습니다.

끝으로 의미 있는 변화에 대해 한 번 더 말씀 드리고 마치겠습니다. 앞서 말했듯이, 몇 사람의 리더에 의해 변화가 찾아오는 것이 아니라, 다양한 사람들이 각자 자기 위치에서 자기 역할을 하고 성실히 실천했을 때 이루어진다는 것을 잊지 않았으면 좋겠습니다. 변화는 누구든지 이뤄낼 수 있습니다. 병원에 찾아오는 암환자들을 맨 처음 맞이하고 치료 병실에서 환자들을 만나고, 호스피스에서 마지막까지 손잡아주는 천사가 바로 우리 간무사입니다. 우리 간무사 회원님들 모두가 최일선인 1차 의료기관에서, 전문의료인의 자세로 지내길 소망합니다.

# 3장

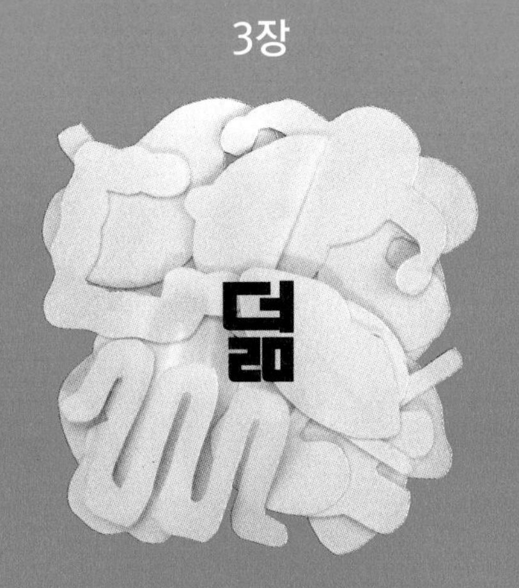

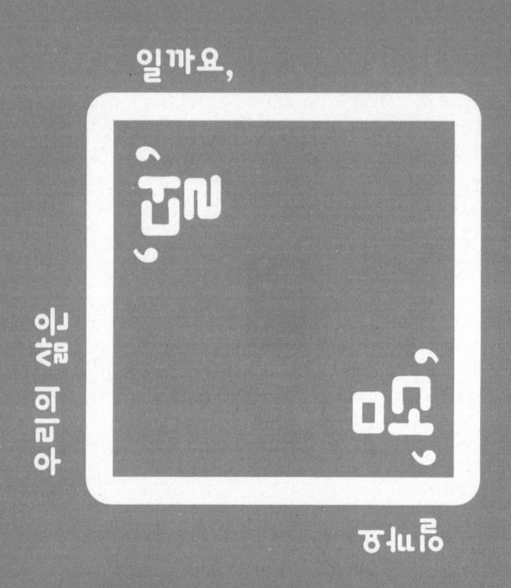
우리의 생일은
일까요,

## 공무원의 협박

협박하는 공무원?

제 이야기입니다. 말하자면, 그 공무원이 저입니다. 건강검진을 받게 하기 위해서라면 어떤 수단과 방법이라도 동원하고 싶었습니다. 상대방을 기분 나쁘게 하고 두렵게 만드는 협박은 아닙니다. 공무원이 지금 민간인한테 협박하는 거냐며 웃으면서 항의하는 분이 더러 있기도 합니다. 저는 부탁도 하고, 설득도 하고, 때로는 협박처럼 느껴질 정도로 강력하게 말하고, 사정하기도 하며 검진을 종용합니다.

검진을 권유하는 가장 좋은 방법은 협박당했다고 느낄 만큼 강력하게 밀어붙이는 것이었습니다. 저에게 부탁을 해오거나 거래관계가 생겨서 제 허락이 필요한 경우라면 어김없이 건강검진 이야기를 합니다. 언제 받았고, 정기적인 검진을 하느냐고 묻는 거였죠. 정기적으로 받고 있다고 하면 그것으로 검진 이야기는 더 이상 하지 않습니다. 이렇게 책까지 내게 되었으니 앞으로는 더 건강검진을 외치겠다고 다짐해봅니다.

26년 차 보건직으로 일하고 있는 저는 검진을 미루거나 하지 않으려는 사람을 만나면 반드시 검진을 받게 할 자신이 생겼습니다. 지금 읽고 있는 이 책을 펴낸 출판사 대표도 저의 협박(?)으로 49년 만에 처음으로 건강검진을 받았다고 했습니다.

서울에서 출판사를 하고 있는 데다가 초면에 실례가 될 것 같기도 하고 당연히 정기검진을 받겠거니 하고 묻지 않다가 출판 계약을 하고 나서 묻게 된 것입니다.

"대표님은 건강검진 언제 하셨어요?

"아직 한 번도 받지 않았습니다."

"정말이요? 어떻게 한 번도 안 받을 수가 있죠?"

"네, 받긴 받아야 하는데 미루다가 깜빡했고 이제는

무섭기도 하고요….”

저는 그 말을 듣자마자 책을 내지 않겠다고 말했습니다. 대표는 깜짝 놀라면서 왜 그러느냐고 물었습니다. 그리고 제 대답은 이와 같았습니다.

“대표님이 제가 하는 일이 대단한 가치가 있고 모든 국민과 검진을 독려하는 기관들이 꼭 읽어야 할 책이라며 출판독려를 하셨잖아요. 그렇게 말씀하신 분이 검진을 받지 않으셨다니 앞뒤가 맞지 않고, 만약에 책이 나오기도 전에 큰 병이라도 생기면 어떻게 될까요. 자기관리도 못 하는 분을 믿고 어떻게 책을 내겠습니까. 저는 다른 곳에서 책을 내든지 아니면 대표님이 얼른 검진을 받든 지 하셔야 진행할 수 있을 겁니다.”

대표는 알겠다고 했고 추천해줄 곳이 있냐고 묻기에 가까운 국가암검진 기관에 가보라고 했습니다. 그리고 결국 작년 12월에 검진을 받았습니다. 태어나 처음으로 검진을 받게 되었다는 대표는 염려했지만 결과는 정상이었고, 진즉에 받을 걸 하면서 만족해했습니다. 만난 지 얼마 되지 않은 사람들에게도 적극적인 검진 안내를 하는 저입니다. 그러니 자주 만나는 주민들과 특히 이장님들을 그냥 가만히 놔둘 리가 없습니다. 협박과 회유(?)는 기본이고 진지하게 1안, 2안, 3안을 내면서 정기검진을 받아야 하는 이유와 받지 않게 되면 입게 될 피해에 대해서도 세 가지로 압축해서 안내해주곤 합니다. 거듭할수록 검진받겠다는 확답을 빨리 받게 되고, 정확하게 인식한 사람들이 검진기관으로 발걸음을 옮기게 만들고 있습니다.

혹시라도 가족 중에 검진을 받지 않겠다고 고집부리는 분이 계시다면 저를 연결해주세요. 검진을 받게 됨으로써 가족 모두가 안심하면서 행복해진다는 사실을 안내해드리겠습니다.

저는 예전부터 올바르다고 생각하는 가치에 대해 생각하고, 사람들에게 유익한 일이라는 확신이 생기면 기필코 실현하겠다는 의지를 가지고 있습니다. 보수적이고 언제나 과묵하고 단호한 아버지에게 의견을 말할 때도 정확한 근거와 필요 이유를 미리 연구하고, 이해가 되면서도 너무 길지 않게 설명해서 저의 의지를 보이고는 했습니다. 아버지께서는 펄쩍 뛸 만큼의 큰일에 대해서도 타당성이 있는 대안이라면 허락해주셨습니다. 그래서인지 저는 아버지의 허락을 받은 일이 생긴 후부터 매사에 자신감이 생겨난 것 같습니다.

20대 초반이던 92년도에 저는 "작은 차 큰 기쁨!" 광고로 유명한 명차(티코)의 소유자였습니다. 그게 무슨 명차냐고 말하기도 하겠지만 저에게는 확실히 명차였습니다. 지금은 추억 속의 차가 되었지만 저는 그때 사람들로부터 가장 많은 부러움을 받았고 실제로 큰 기쁨을 누렸습니다. 당시 저는 진안군 보건소에서 최초의 자가운전자였습니다. 제가 스타트를 하고 나서부터 운전하는 공무원들이 늘어나기도 했습니다. 공무원 초년 때라서 차를 살 돈도 부족했지만 먼저 아버지의 반대가 가장 큰 산이었습니다. 여자라는 이유로 고등학교도 도시로 나가지 못하게 한 완강한 아버지가 운전을 허락하지 않으실 것 같았죠. 여자가 무슨 자전거를 타냐는 말을 하신 적이 있어 저와 자매들은 지금까지도 자전거를 타지 못하고 있습니다. 그러다보니 여자가 무슨 운전이냐며 반대하실 게 분명하다고 예상되었습니다.

저는 일단 제 생각을 정리하고 왜 차가 필요한지와 직접 운전하고 다니면 얻을 수 있는 장단점에 대해 말씀드렸습니다. 막연히 버스 타고 출퇴근하기 불편하다는 이유로 차가 필요하다고 말해서는 승낙받지 못할 것이었습니다.

먼저 운전면허증부터 땄습니다. 그리고 차가 꼭 필요한 이유를 적었고 1안, 2안, 3안의 차선책까지 적어서 아버지께 말씀드렸습니다. 1992년 당시에 집에서 근무지인 보건지소까지 가는 데 버스를 갈아타야 하는 번거로움과 그에 따른 시간 소비가 많았습니다. 여러 가지 이유와 차가 있음으로 해서 좋아지는 것들에 대해 조곤조곤 말씀을 드렸습니다. 속으로는 반대하시면 어떻게 하나 걱정하며 아버지 표정을 살폈습니다.

"그래, 앞으로는 여자들도 운전하는 시대가 올 것이다. 그런데 차를 가지고 다니려면 담력도 있어야 하고 차에 대해서 기초 상식은 알아야 할 텐데 약하고 여자인 네가 가능하겠냐?"

제 이야기를 끝까지 들어 본 아버지께서는 이 한마디를 하셨고 준비된 저는 곧바로 할 수 있다고 대답했습니다. 그러자 "그럼 내일 차 계약하러 가자!"하고 말씀하셨습니다. 보수적인 듯해도 미래를 내다보고 받아들일 것은 기꺼이 받아들일 줄 아는 분이 제 아버지셨습니다.

검진을 받아야 하는 분들에게도 저는 이렇게 1안, 2안, 3안을 제시하며 설득합니다. 과거 아버지께 자동차를 사달라고 했을 때보다 더 큰 용기가 필요한 것도 아니고, 어렵거나 두려운 일도 아닙니다. 그래서 저는 언제나, 어디서나 당당하게 협박을 하고, 상대방이 협박당했다고 해도 웃어넘길 수 있습니다. 검진을 미루거나 받지 않으려는 분을 알려주시면 제가 기분 좋게 검진받을 수 있도록 안내해드리겠습니다.

# 돈 받아먹는 공무원들

"너희들 얼마 받아 처먹었길래 날마다 전화질이야! 다시는 하지 마!"

예전에는 전화를 받자마자 대뜸 욕부터 하는 사람들이 정말 많았습니다. 지금도 더러 있기는 하지만 예전만큼 막무가내인 정도는 아니고, 왜 전화를 걸었는지 충분히 이해하는 사람들이 늘어났습니다. 전화를 거는 우리 공무원들도 화내는 분들의 심정을 이해합니다. 자신이 건강하다고 생각하고 있는데, 바쁘게 일하는 시간에 전화해서 검진을 받으라고 하니 화낼 법도 하겠지요.

처음 욕을 들었을 때는 어쩌다 이런 업무를 하게 되었을까 하는 억울함도 있었습니다. 이제는 시간이 지나 수검자들의 마음을 누구보다 잘 알게 되면서 욕을 먹는 건 당연한 통과의례라는 생각마저 하게 되었습니다. 심지어는 그분들이 욕을 해서 다행이기도 합니다. 왜일까요? 그분들은 건강검진의 필요성이 느껴지지 않는 정말 건강한 사람일 테니까요.

"얼마를 받아먹었길래 귀찮게 하냐"는 말도, 어찌 보면 맞는 말이긴 합니다. 공무원들은 나라에서 돈 받고 일하고 있는 것은 명백한 사실이니까요. 보건소의 검진 담당자들이 월급을 받을 수 있는 건, 국민들에게 검진을 꼭 하라고 안내하고 있기 때문입니다.

보건소나 건강보험공단 또는 국립암센터는 검진 대상자들에게 수시로 전화하고 검진 안내문을 보내고 홍보하고 있습니다. 대상자는 거주지에 가까이 있는 검진 가능한 병원이나 기관에 가서 받기만 하면 됩니다.

공무원이라는 직업을 떠나서도 저는 조기검진의 중요성을 너무나 잘 알고 있기에 어디서든 누구에게든 검진을 받으라고 말합니다. 검진 시기를 놓쳐서 결국 몹쓸 병에 굴복한 분들을 가까이에서 본 적이 있습니다. 모든 사람이 정기적인 건강검진을 받아야 하고, 그것이 본인과 가족들을 위한 일이라는 걸 말해주고 싶었습니다. 보건직 공무원이나 관계 기관에 일하는 사람들과 별개로 자기 자신을 챙기는 첫걸음을 내딛는 것입니다.

보건소에서 하는 모든 일이 국정평가항목은 아닌데 5대암 검진은 어떻게 국정평가에 선정되었을까요. 국정평가는 2001년도부터 시행되었으며 국정주요시책의 추진성과에 대한 평가입니다. 따라서 지방에 재정적으로 인센티브를 지급하는 지방자치단체에서는 가장 중요한 종합평가항목이고, 전 국민에게 꼭 필요한 부분이기도 합니다. 그렇기에 그 많은 국가 예산을 써가면서 무료 검진도 받게 하고, 치료비도 지원해주는 것입니다.

국민이 건강해야 나라가 건강하다는 말을 다들 한 번씩은 들어보셨을 겁니다. 국민이 중병에 걸리면 나라도 중병에 걸리기 마련입니다. 내가 건강해야 내 인생이 유지될 수 있고, 나라 또한 건강해져서 모두의 생활이 건강해지는 것입니다. 평소에 건강에 많은 관심을 기울이고, 검진을 받아서 어떤 질병이 있는지 잘 알고 있으면 상황은 달라집니다. 몸에서 일어나는 징후를 빨리 발견하고 그만큼 빠른 시간 안에 치료까지 할 수 있다는 점이 중요합니다.

이미 몸 안에 병이 들어서면 그때부터는 검진이 아니라 치료가 필요합니다. 그래서 건강검진을 받을 수 있다는 사실만으로도 굉장한 축복이 되는 것입니다. 검진의 목적은 몸의 건강상태를 파악하고 질병의 유무를 알아내는 의학적 진찰을 말하는 것으로, 겉으로 보기에 아무런 이상이 없는 사람도 받아야 할 이유가 충분합니다. 그 과정을 거쳐야 하는 건 눈으로 확인하지 못한 숨은 질병을 찾아내고 조기에 치료하기 위해서입니다.

우리가 100세 시대를 살고 있다는 사실은 말하지 않아도 누구나 알고 있습니다. 동서고금을 막론하고 무병장수의 꿈은 인류의 소망이기도 합니다. 장수의 꿈은 점점 이루어져 가고 있지만, 만약 아픈 몸으로 장수한다면 그것은 축복이 아니라 재앙이 아닐까 싶습니다. 당사자도 괴로운 것은 당연한 일이겠고, 그 가족과 친한 사람들에게까지 고통과 슬픔을 주게 되는 것입니다.

최근 세계보건기구WHO에서 발표한 한국인의 평균수명은 약 82세로 나왔습니다. 평균수명일 뿐이고 점점 늘어나고 높아지고 있다는 추세도 모두가 아는 사실입니다. 여기에 안타까운 발표 자료가 있습니다. 건강한 삶을 유지하는 기간의 평균수명은 71세라는 것입니다. 결론을 말하자면 죽기 전 11년간은 건강하지 못한 시간을 보내면서 고통의 시간을 보낸다는 것입니다. 젊을 때도 아프거나 다치면 고통스러운데 70살이 지나서 약해진 몸으로 아프다고 생각해보세요. 얼마나 끔찍한 일이겠습니까. 100세가 평균수명이 되어 30년간은 아픈 몸으로 지낸다는 생각까지 하면 더욱 처참하고 불행해지는 기분입니다. 하지만 너무 염려는 마시길 바랍니다. 제가 계속 강조했던 것처럼 우리에게는 '정기적인 건강검진'이 있으니까요. 이 방법만으로도 우리는 건강하게 오래 사는 법을 찾았다고 자신 있게 말할 수 있습니다.

특정한 무리의 이익을 위해서 이렇게 검진의 중요성을 강조하는 게 아닙니다. 지금 국가는 국민이 내는 세금으로 운영되고 있고, 국가는 국민이 건강할 수 있도록 국민들에게 받은 세금으로 다시 지원을 해주는 것입니다. 결국은 세금으로 행하는 국가사업입니다. 내가 낸 돈은 내가 챙겨야 하지 않겠습니까. 건강검진은 누구에게나 축복이 될 수 있고 멋진 일이 될 수 있을 것이라는 확신이 듭니다. 다시 한번 정리해보자면, 먼저 문제가 발견되더라도 치료를 받기 좋은 시기를 만날 수 있고, 내 건강을 챙기게 되어 안심될 것입니다. 그리고 그 안심은 사랑하는 가족들에게 평화를 안겨주게 됩니다. 누구나 건강하다면 더 웃음 넘치는 사회가 될 것입니다.

나랏돈 받는 공무원인 저에게 얼마든지 욕해도 좋으니, 얼른 검진기관에 가서 마음 편하게 검진받으시길 바라겠습니다.

# 민원도 보약입니다

"선생님, 선생님! 큰일 났어요. 빨리 신문고 좀 보세요!"

평소에 전혀 호들갑스럽게 행동하지 않던 후배 세희의 목소리였습니다. 제가 출근해서 자리에 앉기도 전에 소리쳐서 조금 놀라기도 했습니다. 그리고 이내 후배의 말투와 표정을 보고 직감적으로 대형민원이 터졌다는 걸 느꼈습니다. 저도 평소에 잘 놀라지 않고 차분한 편이지만, '신문고'라는 단어만으로도 어지러워졌습니다. 아마 대한민국 공무원들은 누구나 신문고 소리만 들어도 같은 심정일 것입니다. 수시로 '신문고'에 들어가서 관련 민원이 있으면 얼른 조치하는 것도 중요한 업무이니까요. 후배는 민원 내용을 출력까지 해놓고 저를 기다리고 있었습니다. 길지 않은 내용이었고 얼른 읽어내려 간 저까지 화가 날 정도로 심각한 실수였습니다.

다음은 신문고에 올린 민원인의 글입니다.

> **검진담당자님께!**
>
> 저는 고향 보건소의 건강검진 전화를 받고 중요한 회사 일까지 취소하고 경기도에서부터 달려갔습니다. 아침도 굶고 새벽부터 3시간 걸려 도착해서 검진 접수를 했습니다. 그런데 검진기관에서 저에게 하는 말은, 올해 검진 대상자가 아니라서 안 된다는 것이었습니다.
> 오늘 낭비한 제 시간과 경비는 어떻게 보상을 받을 수 있습니까? 오늘은 특별히 중요한 프로젝트가 있었는데 취소까지 했습니다. 시킨 대로 아침도 먹지 않고 먼 길을 달려갔더니 검진 대상자가 아니라니요. 담당자는 홍보할 때 정확히 안내할 의무가 있지 않은가요?
> 이글을 읽고 오늘 이후부터 저 같은 피해자가 나오지 않도록 신경써 주시기 바랍니다.

저는 위 글을 읽고 너무나 황당하고 죄송해서 뭐라

할 말이 없었습니다. 보셔서 아시겠지만 이 신사적인 민원인은 저희를 혼내거나 보상을 받으려는 목적이 아니라 재발 방지를 부탁하려는 것이었습니다. 먼저 정확한 사유부터 확인하고 최대한 빨리 통화를 해야 했습니다.

이름과 주민번호로 조회를 했더니 아니나 다를까 민원인은 올해 암검진 대상자가 아니었습니다. 그렇다면 저희는 왜 이 민원인에게 전화해서 꼭 오시라고 안내 전화를 했던 걸까요. 왜 이런 엄청난 실수가 있었는지 찾아내야 했습니다. 건강보험에도 알아봤더니 원인을 찾지 못했습니다. 관련 서류를 몽땅 뒤져보고 건강보험공단에 이런 사례가 있었는지 알아보고 나서야 원인을 파악해냈습니다.

민원인은 고향의 보건소에서 국가암검진을 전화로 안내해주기에 자신이 해당되는 거라 생각하며 일정을 잡은 것이었습니다. 그런데 검진 대상자는 그 분의 아버지였습니다. 2년 전 아버지 검진 때 보호자로 동행했던 아들이 연락처란에 아버지 번호가 아닌 자신의 휴대폰 번호를 입력했고, 검진안내 전화를 아버지 집으로 했는데 통화가 되지 않아 기재된 핸드폰으로 연락한 것이었습니다.

만약 서로가 대상자 이름을 한 번만 더 확인했더라면 이런 실수는 없었을 것이었습니다. 보건소에서는 성함을

묻고 민원인은 별다른 의심 없이 본인이라고 대답했습니다. 그리고 평소에 하던 대로 "올해 국가암검진 위암대상자인데 아직 안하셔서 전화드렸습니다. 이번 주 수요일 아침 8시부터 검진을 하오니 아침 금식 후 꼭 검진 받으러 와주세요"라고 말한 것이고, 민원인은 착실하게 금식하고 먼 길을 달려오셨던 것입니다.

이 사실을 알게 된 저는 바로 민원인에게 전화했습니다.

"안녕하세요! 저는 진안군보건소 검진담당자 이선옥입니다. 000 선생님이시죠? 선생님 정말 죄송합니다. 보건소에서 검진 안내 연락을 받고 모든 일을 제쳐두고 검진을 받으러 오셨는데 대상자가 아니라고 하니 황당하고 화가 날 수밖에 없으셨을 겁니다. 그런데도 이렇게 정중하게 같은 실수를 막아주려고 신문고에 글을 올려주셔서 감사드립니다."

상황을 상세히 말씀드리고 끝까지 한 번 더 확인하지 않은 우리의 불찰을 용서 바란다고 말했습니다. 민원인은 진실한 사죄를 받아주었고 오히려 제대로 확인 못한 자신의 착오였음을 인정하며 이렇게 민원 글을 올려 미안하다고 했습니다. 신문고에 올린 글도 바로 삭제하겠다는 말까지 했으니, 그래도 마무리가 잘 지어진 것 같았습니다. 저 역시 '정말, 정말 정확하게 전달해야겠구나!' 하고 뼈저리게 반성하면서 전화도우미 교육도 다시하고 담당공무원들도 한번씩 더 체크하게 되었습니다. 이처럼 전화로 안내할 때 연락처 오류도 애로 사항 중 하나이니, 반드시 정확한 연락처 기재를 부탁드립니다.

신문고에 글을 올려서 실수 없이 세심하게 업무를 하도록 깨우쳐준 민원은 하나같이 고마운 민원들이었습니다. 국가암검진의 취지와 소명의식을 다시금 일깨워주었고, 수검률 실적에만 집중하면서 뛰었던 시절에 저를 붙잡아주었습니다. 저를 성장시켜준 분들께 지면으로나마 진심으로 감사드리며 가족과 함께 건강하시길 기도드립니다.

## 제발 하나만 더 낳아주세요

빨간 고추 안에 사람들이 가득 들어 있고, 헤드 카피에는 "고추 하나 때문에…" 라고 쓰여 있습니다. 그리고 그 아래에는 이런 글이 있습니다.

심각한 인구문제는
나만의 문제도 아니고
당신만의 문제도 아닌
우리 모두의 문제이며
책임인 것입니다.

언제 적 광고 포스터일까요? 1970년대 초중반 전국 방방곡곡 여기저기 붙여놓은 포스터입니다. 그리고 포스터 맨 아래에는 대한가족계획협회가 새겨져 있습니다.

가족계획사업을 지원하고 촉진하기 위해 설립된 사단법인체인 '대한가족계획협회'에서 산아제한을 하던 시절이 있었습니다. 모자보건을 증진시키고 가족의 건강을 이룩하여 국민생활수준의 질적 향상을 도모하고자 설립되었지만, 당시 가장 중요시한 것은 산아제한이었습니다. 한 해에 백만 명씩 태어나던 때였으니까요. 대한가족계획협회는, 1999년 대한가족보건복지협회로 명칭이 바뀌었는데 아마 이때부터 인구가 줄어드는 문제를 심각하게 생각한 듯합니다. 제가 보건소에 처음 갔을 때만 해도 주민들에게 피임을 권했습니다. 단순하게 권하는 수준이 아니라 실적에도 반영이 되어 임신 가능한 가임기 부부에게 정관수술과 함께 피임을 강력하게 부탁했어야 했습니다.

둘만 낳아 잘 기르자던 포스터는 어느새 사라지고 〈축복 속에 자녀 하나 사랑으로 튼튼하게〉, 〈둘도 많다 하나만 낳아 잘 기르자〉로 바뀌며 두 명을 낳은 집은 찾아가서 더 이상은 아이가 생기지 않길 요청해야 했습니다. 그때 보건소 직원들을 피하면서 도망 다니던 부부들도 있었습니다. 예비군훈련장에 가서 정관수술을 하면 훈련을 면해주기도 했고 휴가를 보내주기도 했을 때였습니다.

어느 날 남편이 정관수술을 받고 집에 갔는데 아내가 그 사실을 알고 대성통곡을 하면서 보건소에 쫓아와서 항의했던 일도 있었습니다. 자신은 하나를 더 낳으려고 기도 중이었다는 것이었습니다. 이 사건 이후로 보건소 선배들은 그 아주머니를 피해 다녀야 했고 더 이상은 산아제한에 대해 말하고 다니지 않았다고 합니다. 자녀를 더 두고 싶어 했던 아주머니에게 늘 죄책감이 들었고 정책이 바뀌면서부터는 선배들 역시, 그때는 말도 안된다는 생각이 들었다고 했습니다.

당시의 산아제한 포스터와 표어자료를 보면 웃지 못할 문구들이 많이 있습니다. 잠시 추억 속으로 들어가 보겠습니다.

**"덮어놓고 낳다 보면 거지꼴 못 면한다"**

**"사랑으로 가족계획 이웃 간에 오누이"**

**"알맞게 낳아서 훌륭하게 기르자"**

**"딸 아들 구별 말고 둘만 낳아 잘 기르자"**

**"아들 바람 부모세대 짝궁 없는 우리 세대"**

**"하나씩만 낳아도 삼천리는 초만원"**

**"적게 낳아 엄마 건강 잘 키워서 아기 건강"**

초등학교 등하굣길에서 곳곳의 벽과 전봇대마다 붙어 있던 포스터와 표어들을 보며 6남매인 우리 집을 부끄럽게 생각한 적도 있습니다. 그때는 정말로 자랑도 못 하고 몰래 낳는 사람들도 있었다고 합니다.

이랬던 우리나라가 이제는 포스터도, 표어도 바뀌었습니다.

**"엄마 저도 동생 갖고 싶어요"**

**"자녀에게 물려줄 최고의 유산은 형제입니다"**

**"하나보단 둘이 낫고 둘보다는 셋이 더 행복합니다"**

**"하나의 촛불보다는 여러 개의 촛불이 더 밝습니다"**

이렇게 시간이 지나면서 정책도 바뀌고 표어도 바뀌고 기관의 주 업무도 바뀝니다. 설립 당시에는 산아제한을 통한 가족계획이 주 업무였지만, 지금은 출산장려정책을 펴는 기관도 있습니다. '인구보건복지협의회' 라는 곳입니다. 현재 출산장려와 함께 모자건강, 건강검진(국가암)까지 하고 있습니다. 그리고 이곳과는 개인적으로도 각별한 인연이 있습니다. 협회에서 '아가사랑 후원금 지급' 이라는 공고를 냈는데 제가 신청한 두 명의 아이들이 선정되어 각각 2백만 원씩의 진료비를 받은 겁니다. 희귀성 난치질환으로 고통받고 있었고, 항문폐쇄증과 연골무형성증 장기치료를 받아야 하는 아이들에게 전달되었으니 얼마나 감사하고 행복했는지 모릅니다. 협회는 해마다 '아가사랑 후원금'도 지급하고 있습니다. 이웃들에게 사랑을 실천하는 기업과 기관, 개인이 많아지면 아이들도 많이 태어날 것 같습니다.

지금 전국에서는 출산율을 높이기 위해 다양한 정책을 내놓고 있고, 지방자치단체는 최일선에서 정신이 없습니다. 이장님들을 모시고 출산 관련 회의를 하면 온갖 아이디어들이 쏟아져 나옵니다. 급기야는 3자녀 출산가정에 임대아파트를 지원해주자는 의견까지 나왔는데 실현 가능할지는 모르겠습니다. 살고 있는 지역민들이 호응하면서 한 자녀씩 늘리는 게 아니라 이미 셋째를 계획하는 외부주민들이 전입만 하게 되는 문제만 일으킬 것이라는 의견도 있었습니다. 출산장려정책이 아니라 인구유입정책으로 끝나버릴 수도 있을 것이라고도 했습니다.

제가 처음 일할 때는 다자녀 부모에게 아이를 그만 낳아야 한다고 했지만, 지금은 제발 하나만 더 낳으라고 종용하며 각종 혜택을 말해주고 다닙니다. 하지만 쉽사리 그렇게 되지 않는 것이 현실입니다. 30년 전, 산아제한을 권할 수밖에 없었던 선배 공무원들은 부모들에게 진심으로 죄송한 마음이 들었다고 했습니다. 저는 결혼을 늦게 하고 몸이 약해서 아이를 더 낳지 않았지만, 아들에게 동생을 만들어 주지 못해서 늘 미안한 마음이 있었습니다. 하지만 자녀 한 명을 더 키우는 일도 쉽지만은 않았을 겁니다. 우리 세대는 형제자매와 북적거리며 살아온 기억이 생생해도, 자녀를 더 많이 낳기 어렵다는 건 말하지 않아도 다들 아실 겁니다.

우리 전북 진안군에서는 셋째를 출산하면 천만 원을 드리고 있습니다. 어떤 시는 5백만 원을 준다고 합니다. 혹시 대도시에 계시는 분들이 귀농, 귀촌하겠다고 하면 1급수가 있는 청정지역 진안으로 오시라고 말씀드리고 싶습니다. 저희 진안군에서 가족들과 함께 천혜의 환경까지 누릴 수 있다면, 천국은 따로 있지 않을 것 같습니다.

# 3 NO 운동

제가 소속되어 있는 진안군에서는 무언가를 완전히 없애려는 운동을 벌이고 있습니다. 그리고 이 운동 덕분에 제13회 대한민국 지방자치경영대전 국무총리표창을 받기도 했습니다. 이제는 이것이 없어서 진안군이 유명해지기까지 했는데요, 이 운동은 사실 아주 간단합니다.

> 3NO 운동
>
> 쓰레기를 버리지 않는다.
>
> 쓰레기를 묻지 않는다.
>
> 쓰레기를 태우지 않는다.

이 운동의 주인공은 바로 쓰레기입니다. 쓰레기를 버리지 않고, 묻지 않고, 태우지 않는 3NO 운동은, 현재 자치단체장으로 있는 군수님이 2007년도에 면장으로 재임할 당시부터 10년 동안 꾸준히 벌여온 '청정환경 지키기의 핵심공약사업' 입니다.

초기에는 지키기 어려운 일이라고 말하는 주민들의 반발이 있고 관련된 민원도 많았지만, 적극적인 홍보와 교육으로 그들의 생각을 변화시킬 수 있었습니다. 나중에는 주민들 스스로 참여하기까지 이르러, 매우 성공적으로 지켜진 사업이라고 할 수 있습니다. '대한민국에는 이제 청정지역이 없다' 는 자조적이고 비관적인 말만 들려오는 때에 우리 진안군에서는 '청정 환경을 우리의 손으로 지켜야 한다' 는 의식을 군민들과 함께한 것입니다.

분리수거의 개념이 전혀 없던 상태였기에 쓰레기를 쉽게 버리고, 땅에 파묻고, 태우던 행위들을 중단시키는 일에는 많은 어려움이 따랐습니다. 시골 주민들은 그동안 쉽게 버리던 쓰레기를 절차에 따라 처리하고 읍·면 사무소에 연락까지 해야 해서 불편함을 느꼈습니다. 결국 주민들의 반발은 심해지고 민원 발생도 늘어만 가서 많은 동료가 힘들어했습니다. 공무원들에게 있어 민원 발생은 업무 중 하나이지만, 큰 스트레스를 주기도 하고 때로는 너무나 치명적이어서 우울증까지 찾아오게 만듭니다. 올바른 정책을 홍보하고 참여와 호응을 요청하지만, 주민들의 무관심 속에 사라져버리는 것들이 있기도 한 것입니다.

우리 보건소는 청정지역으로 소문난 진안군이 오염지대로 낙인이 찍히게 되면 그나마 찾아오던 관광객들마저 끊길 것이라는 사실을 알렸습니다. 우리 지역을 찾아오는 관광객들과 우리의 후손들에게 '맑고 깨끗한 진안군'을 선물하자는 취지의 말도 했습니다.

보건소, 군청, 면사무소에 근무하는 공무원들은 마을을 하나씩 붙잡고 이장님들과 주민들에게 지속적으로 홍보했습니다. 버리지 말고, 땅에 묻지 말고, 태우지 말아달라고 부탁하고, 쓰다가 버린 차광막 같은 큰 쓰레기들도 전화만 주면 읍·면에서 처리해주는 식으로 진행했습니다. 폐형광등처럼 인체에 치명적이면서 유해한 중금속의 쓰레기들은 마을회관 앞에 전용수거함을 설치해서 분리배출을 부탁드렸습니다. 이곳 진안군에는 용담댐이 있어서 전주시민들의 상수원이 되기도 하는데 폐농약병과 축사에서 방출되는 분뇨가 상수원으로 들어가면 큰일 난다는 경고도 끊임없이 했습니다. 비닐이나 플라스틱, 유리병 같은 화학제품들이 썩는 시간이 100년도 넘게 걸리는

데다 오존층을 파괴하는 환경오염의 주범들이라는 인식을 계속해서 심어주었습니다. 폐건전지 또한, 재활용되면 소중한 자원으로 쓰이지만 아무렇게나 버리면 유해물질의 발생으로 환경에 치명적입니다.

공무원들은 자신이 맡은 마을의 이장님들과 함께 마을회관에서 브리핑도 하고 안내문도 지속적으로 돌리면서 3NO 운동이 왜 필요한지 끊임없이 안내했습니다. 주민들이 환경과 오염에 대해서 제대로 인식하게 된다면 상황은 얼마든지 달라질 수 있었습니다. 우리 지역이 청정지역으로 인정받고 있다는 걸 알고, 또 자랑스러워할 것이라고 확신했습니다. 진안군 공무원들의 노력은 빛을 발하기 시작했고 군민들 전체가 자발적으로 3NO 운동과 함께 쓰레기 분리수거에 앞장서고 있습니다. 열심히 홍보만 해서 큰 상을 받을 수는 없습니다. 결과가 좋게 나와서 우리 군이 청정지역의 위상을 지킨 것이었습니다. 진안군민들의 높아진 자긍심은, 어떤 상의 상품보다 뛰어나다는 생각이 듭니다.

청정환경 지역을 고수하기 위해 폐해가 되는 문제를 없앤 것만으로도 모두가 행복한 사회가 됩니다. 지금 쓰레기를 관리하지 않는다고 해서 개인과 가정이 당장에 파괴되지는 않습니다. 하지만 시간이 지나면서 토양오염은 심각해지고 땅들은 암에 걸리게 됩니다. 우리가 밟고 있는 땅에 암이 발견되면, 땅 위에 살고 있는 우리와 후손까지 나쁜 영향을 받게 될 확률이 높아집니다. 땅이 우리 몸이라고 생각하면서 절대로 나쁜 것들을 땅속에 흘려보내지 않기를 당부합니다.

건강검진은 이보다 더 중요한 일입니다. 진단을 늦게 받아서 나도 모르게 몸속에 있는 질병들이 커지고 있다면… 생각만 해도 끔찍합니다. 정말 솔직하게 말하자면, 이 책을 끝까지 읽을 필요가 없을지도 모릅니다. 지금 당장 책을 덮고 검진기관에 가서 검진 접수부터 하시길 바랍니다.

마음속에 있는 나쁜 생각들을 하나씩 버리는 'NO 운동'을 하시고, 건강검진을 미루었던 생각도 꼭 버리시길 부탁드립니다. 나와 가족, 더 나아가서는 나라까지 살리는 일이 되기 때문입니다. 나쁜 것을 버리는 일이 '덤'이 되고, 검진을 통해 건강한 몸을 찾게 된다면 이 또한 '덤'과 같은 삶이 될 것입니다.

# 암 예방과 치료 명당

귀농 · 귀촌 인구가 많기도 하고, 암 같은 중증질환을 앓는 분들이 치료와 요양을 목적으로 이주해오는 지역들이 있습니다. 천혜의 환경을 가지고 있고, 청정지역으로 유명한 곳이라면 아마 치료 목적이 아니더라도 건강한 분들까지 충분히 힐링할 수 있을 겁니다.

2013년에 방영된 드라마〈내 딸 서영이〉 마지막 장면 기억나세요? 워낙 인기가 많았고 명장면으로 기억되고 있어서 장소를 궁금해하는 사람들이 많았습니다. 남녀 주인공이 거닐고, 결혼식을 올린 후 행복한 삶을 살게 된 곳이 바로 제가 근무하는 전북 진안군입니다.

1.6킬로미터에 달하는 메타세쿼이아 길에서 아우디 코리아 CF를 촬영하기도 했고, 영화 〈국가대표〉에서 주인공 하정우와 스키선수들이 자전거를 타고 달렸던 길이기도 합니다. 이렇게 아름답고 깨끗한 진안군은 건강검진 수검률 1위를 기록하기도 했습니다. 환경뿐만 아니라, 지역 주민들의 건강까지 아름답고 건강해질 수 있다는 것이 무엇보다 중요한 것 같습니다. 무서운 병도 조기에 확인해서 빨리 치료하고, 물 좋고 공기 좋은 곳에서 건강까지 관리할 수 있다면 더없이 좋겠지요.

진안군의 메타세쿼이아 길은 4계절 아무 때나 찾아도 후회 없을 만큼 멋진 곳입니다. 사실 이 길보다 더 유명한 곳은 말귀를 닮았다는 '마이산' 입니다. 약 1억 년의 풍상이 만든 산세로, 세계 어느 곳에서도 이러한 모양을 가진 산은 찾아보기 힘들고, 유일한 부부봉이기도 합니다. 이 명산, 마이산은 세계 최고의 여행안내서인 프랑스 〈미슐랭 그린가이드〉에서 별 3개의 만점을 받아 최고의 명소로 더 주목된 바가 있습니다. 진안 읍내 어디에서든 눈에 띄고, 어느 쪽에서 봐도 멋진 마이산은 계절에 따라 다른 이름으로 불리기도 합니다.

봄에는 안개를 뚫고 나온 두 봉우리가 쌍돛배 같다 하여 '돛대봉'

여름에는 수목이 울창할 때 용의 뿔처럼 보인다고 '용각봉'

가을에는 단풍 든 모습이 말의 귀 같다 해서 '마이봉'

겨울에는 눈이 쌓이지 않아 먹물을 찍은 붓끝처럼 보인다 하여 '문필봉'으로 불립니다.

기억에 쏙쏙 남을 만한 이름이 아닌가요? 산 위에 바다를 올려놓은 것 같다는 말이 나올 정도로 환상적인 용담댐도 있습니다. 이곳을 드라이브하면 마치 산 아래로 바다가 펼쳐져 있는 듯한 느낌을 받는 것이죠. 전주시와 충청남도 일부 지역의 상수원이니 청정한 곳이라는 건 당연지사입니다.

진안은 본래부터 청정지역이었지만, 3NO 운동을 전개해서 더 맑게 만들려는 군민들과 지자체의 노력 덕분에 '머물고 싶고 다시 찾고 싶은 지역'으로 우뚝 섰습니다. 아토피 친화 마을로도 지정되어 있어서, 어린 자녀들이 아토피 때문에 고생하고 있다면 솔깃하실 겁니다. 또 홍삼 축제를 비롯해 특색 있는 지역축제들도 많고, 참여를 위해 전국에서 찾아드는 관광객들도 많습니다. 구봉

산에는 국내에서 가장 긴 100미터짜리 구름다리가 2015년 8월에 생겼고, 운일암반일암도 전국적인 관광지입니다.

편백나무 숲을 걸어본 적 있으신가요? 걸어도, 걷지 않아도 편백숲에 들어가면 좋은 기운이 온몸에 들어오는 기분이 듭니다. 저는 다른 지역의 편백숲을 걸었던 적이 있는데, 걸으면서도 그렇게 욕심이 날 수가 없었습니다. '이런 숲을 우리 진안에 옮겨놓으면 정말 좋겠다!' 라는 생각이 들 정도로요. 그런데 우리 진안에도 이런 편백숲이 생긴다는 사실을 모르고 있었습니다. 우리 군에서 실시한 '진안 문화 바로 알기 프로그램'을 통해서 부귀면에 편백나무숲을 개장한다는 사실을 알고 얼마나 기뻤는지 모릅니다. 진안에 대해 구석구석 알고 있을 거라 생각했는데, 그렇게 바라고 바라던 편백나무 숲이 곧 개장한다고 하니 환자들에게 기쁜 소식이 아닐 수 없습니다.

또, 진안에 생겼으면 하는 것이 있었습니다. 바로 군산에 있는 옥산 저수지 길입니다. 현재 진안 용담호 수변도로가 있는데, 일부를 개방해서 사람들이 걸을 수 있게 한다면 옥산 저수지 못지않은 멋진 길이 탄생할 것 같은 예감입니다. 걸음이 나를 살렸다고 하는 말이 있는데, 이 말이 실현될 것 같습니다. 그냥 걷는 것보다는 호수를 바라보며 걸을 수 있는 도로 위라면 정신건강에도 좋아질 거라 봅니다.

앞서 제가 사랑하고 자랑해 마지않는 진안군의 풍경에 대해 말했는데, 멋지고 아름다운 풍광만 있다고 휴양지가 되는 것은 아닙니다. 뭐니 뭐니 해도 먹을거리가 중요할 것입니다. 요즘 많은 사람이 먹방 투어를 하는 것처럼 말이죠. 진안군에는 3NO 운동이 전개된 옥토에서 '무농약 우렁이 농법'으로 생산된 쌀이 있고, 해발 3백미터가 넘는 진안고원에서 키워진 고랭지 채소까지 넘쳐납니다. 특히 사포닌이 풍부한 진안 홍삼까지. 풍경에서부터 먹거리까지 건강에는 안성맞춤인 곳이죠.

영산인 마이산의 좋은 기운이 있고, 보기 좋은 풍경과 맑은 공기, 건강한 곡식들은 누구에게나 웰빙 그 자체일 것입니다. 진안이야말로 암 예방과 암 치료 그리고 건강을 위하는 사람들에게 좋은 지역이라고 알려드리는 것입니다. 일부 사람들만 경험하기에는 아까운 곳이니까요. 꼭 이곳 진안이 아니더라도 지금 계신 곳에서 가까운 청정지역이나, 맑은 공기를 마실 수 있는 곳이 있다면 자주 방문하시라고 당부드리고 싶습니다. 특히 도시에 사는 분들이라면 내 몸의 건강을 위해 잠시 몸과 마음이 쉴 수 있도록 자연과 가까워지라는 것입니다.

이번 주에는 가족과 함께 가까운 자연 속으로 떠나보세요. 그리고 건강한 삶에 대해 가족과 함께 이야기 나누고, 자연을 있는 그대로 즐겨보세요. 우리의 몸과 마음이 지금보다 훨씬 좋아할 겁니다.

## 리더로 키워주는 리더

"면민의 날은 거의 휴일인데 가능하겠어요?"

"네, 가능합니다. 일할 수 있을 때 열심히 해야죠. 우리 같은 시골에서는 이 방법이 가장 빠르고 효율적일 것 같아요."

"그래요! 그럼 계획서 올려 봐요."

건강보험공단과 함께 면민의 날에 가서 홍보를 하겠다고 보고했을 때 나눈 대화입니다. 휴일에 공식적으로 일한다는 것이라 거절당할 수도 있고, 상사들이 반대할 수 있다는 걱정이 들었습니다. 휴일에 부하직원이 공적인 일을 한다고 하면 신경이 쓰일 지도 모른다는 생각도 들었지만, 계장님과 보건소장님 두 분 다 휴일에 일하는 것에 대해서만 물어볼 뿐 격려를 해주었습니다.

"어떤 사업이든 그 사업은 사업담당자가 제일 잘 알고 있으니 힘들겠지만 한 번 해봐요!"

보건소장님의 이 한마디로 인해 저는 더 이상 고민하지 않고 거침없이 업무를 추진했습니다.

"현장에 답이 있다"라는 슬로건을 내걸고 준비했고, 먼저 11개 읍면의 행사와 진안군의 크고 작은 행사장엔 모두 참여했습니다. 리더들의 격려에 더욱 힘낼 수 있었고, 행사장마다 검진팀 부스에 몰려드는 주민들이 있어 일하는 우리도 행복했습니다. 이렇게 가까이 다가가서 홍보하다 보면 군민들이 '국가암검진'과 '암의료비지원사업'에 대해 어느 정도 파악하게 되고, 몰라서 피해 보는 사례는 없을 것이라는 확신으로 열심히 안내했습니다.

암관리 사업 안내는 몇 달 후부터 수검률 실적으

로 나타났습니다. 출장검진 차량에 줄을 서서 검진을 기다리는 주민들의 모습을 볼 때마다 흐뭇했는데 드디어 7월부터는 전국 1등으로 올라섰습니다. 저의 처음 계획은, 최소한 이런 제도가 있다는 것을 다수의 주민들에게 알리는 것이었습니다. 그것만으로도 충분히 가치 있는 일이라 판단했는데, 암검진 및 의료비 지원제도 홍보로 인해 암관리사업 수검률이 전국 1위까지 기록하게 된 것입니다.

8월초에는 동향면의 수박축제에 참여했는데 무더위가 절정이었을 때였습니다. 땀이 줄줄 흐르는 불볕 더위지만 한 사람에게라도 더 알려야 한다는 생각으로 주민들을 한 명씩 붙잡고 안내했습니다. 군수와 보건소장이 우리 홍보 부스에 들러 더위에 애쓴다며 격려해주고 떠났습니다. 짧게 머무른 시간이었는데도 실과 소장까지 참석하는 확대 간부 시간에 "보건소의 '암관리사업 홍보팀'이 진안군의 모든 행사장 마다 뛰어다니면서 애쓰는 줄 알고 있다. 더위에 힘들겠던데 휴가라도 주고 있냐"고 물었다는 것입니다. 그 말을 들은 보건소장은 저를 소장실로 불렀습니다.

"암관리사업과 여러 보건사업에 대한 홍보를 휴일에

도 쉬지 않고 묵묵히 꾸준하게 잘 해줘서 고마워요."

이런 칭찬과 더불어 군수님이 해주신 좋은 말도 들을 수 있었습니다. 대체휴가를 내서 쉬어도 좋다고 했지만, 쉴 수도 없는 상황이었습니다. 당시 우리 계는 1명이 결원이어서 몸이 아파도 병가를 낼 수가 없었습니다. 무엇보다 제가 휴일에 행사장을 다니며 홍보하는 이유는 인정받고 잘 보이려는 것이 아니었기 때문입니다.

저는 사람의 생명을 살리는 일이라는 가치를 알고부터는 한 번도 힘들다는 생각을 한 적이 없었습니다. 의미있는 일에 즐겁게 참여하고 있는데, 주민들의 적극적인 참여와 함께 군수님과 보건소장님, 계장님으로부터 직접 듣는 칭찬은 산삼보약의 효과였습니다. 피로도 사라지고 의욕도 넘쳐났으니까요.

처음 면민의 날 행사장에 갔을 때 우리는 테이블 위에 자료와 판촉물을 쌓아놓고 있었습니다. 그런데 다른 기관들은 테이블 위에 현수막을 걸쳐놓고 자료를 쌓아둔 아랫부분에 홍보문구를 적어놓았습니다. 어떤 사업을 목적으로 홍보를 하는지 쉽게 알아볼 수 있었습니다. 우리는 나름대로 준비했지만, 부족했던 걸 깨닫고는 현장에서 보고 들은 아이디어를 따라 해보고자 했습니다. 내용을 들은 계장님은 즉각적으로 지원해주었습니다. 그러면서 "더 도와줄 것 있으면 언제든지 말하라!"고 힘차게 말하셨습니다. 작은 의견도 무시하지 않고 지원해주는 것은 물론 언제든지 도움을 요청할 수 있다는 생각에 더 열심히 홍보하고 좋은 성과를 내고 싶어졌습니다.

지금 계장님은 퇴직하셨지만, 그 말을 여전히 기억하고, 저도 후배들에게 꼭 하는 말이 되었습니다.

검진팀의 홍보 부스를 보완한 후로 주민들의 왕래가 잦아졌고, 다른 보건사업 홍보까지 자연스럽게 늘어나 효과도 봤습니다. 담당 공무원의 제안이 윗선에 받아들여지고, 적극적으로 실행하면서 분위기가 좋아지니 비단 제 업무 하나만 잘 되는 게 아니었습니다. 다른 계에서 맡은 업무들도 저절로 홍보 되고 주민들에게 보건 사업을 효과적으로 알려줄 수 있었습니다. 생각지도 못했던 골밀도 검사를 주민들에게 무료 지원해주면서 큰 호응을 얻었고, 나중에는 면사무소들이 우리 팀을 먼저 데려가려고 했던 일은 제 평생에 잊지 못할 자랑거리가 되었습니다.

같은 소속은 아니었지만 건강보험공단의 이승열 팀

장, 조건희 과장도 주말에 행사장에 동행했습니다. 나이와 직책을 따지지 않는, 그들이 보여준 리더십에서도 많은 것을 배울 수 있었습니다. '면민의 날'에 홍보를 나가면 좋은 효과가 있을 것이라는 말에 두말없이 나와서 시원하게 하이파이브를 했던 기억이 아직도 생생합니다. 우리는 예전부터 알고 지내며 '암검진사업 홍보'를 위해 준비해왔던 것처럼 호흡이 척척 맞았습니다. 타 기관과 협조하여 윈-윈하는 성과는 물론, 건강검진 수검률을 높이기 위한 목표를 연구하고 실행할 수 있었습니다.

슬플 때 위로해주는 것보다 기쁠 때 함께 기뻐 해주는 것이 진정성 있는 축하라는 것을 배우기도 했습니다. 저를 성장시켜 준 또 다른 분은 김금주 계장님이었습니다.

김 계장님은 진안요양원에 근무할 때부터 암검진 홍보를 지지해준 분으로, 진안군 노인대학 어르신들께 홍보 시간을 내주기도 했습니다. 그러다 우리 계 담당으로 발령이 났습니다. 다른 곳에서 업무를 할 때도 힘이 되었는데 담당 부서장으로 오게 되자 전폭적인 지지를 아끼지 않았습니다. 저뿐만 아니라 부서 직원들에게도 칭찬을 아끼지 않는 '칭찬의 아이콘'이자 긍정과 베풂의 선두주자이기도 합니다. 계장님은 직원들의 단점보다는 장점을 찾아서 역량을 키울 줄 아는 진정한 리더의 모습을 보여주었습니다.

전북지역 14개 시군보건소 우수사례발표를 제가 발표한 적이 있습니다. 이후부터 김 계장님은 저를 '전국구강사'라고 부르기 시작했습니다. 일만 잘하는 게 아니라 성과에 대해서 설명도 너무 잘했다며 극찬해주었습니다. "애쓴 흔적이 보인다, 역량이 있다, 전북지역에서만 발표할 게 아니라 전국구로 활동할 명강사다"라는 말까지 했습니다. 이러한 칭찬을 받았던 저는 후배들을 대할 때도 똑같이 칭찬해주고, 또 후배들에게도 좋은 선배가 되도록 노력하고 있습니다. 좋은 리더를 만났기에 저까지 좋은 리더로 성장하고 싶은 마음이 들었습니다.

또한 공무원의 꽃이라는 사무관을 지내다가, 상전면장을 끝으로 퇴임한 양선자 선배의 리더십도 오래 기억될 것 같습니다. 선배는 보건소 재직 시 복지부에 공모해서 보건소 및 보건지소로 신축예산을 확보한 적이 있습니다. 그 예산으로 '노인건강실'을 만들어 노인들의 건강을 위한 다양한 장비와 복지 서비스를 실천했습니다. 열정을 다해 일하는 리더이자, 직원들 생일 선물까지 꼭 챙겨주는 섬세함까지 갖춘 분이었습니다.

간호조무사를 전문 직종으로 도약시키고 보건복지부 자격으로 격상시킨 홍옥녀 간무사협회장님은 물론, 임상과 보건팀의 단결을 통해 협회발전에 이바지한 송경화 전북간무사협회장의 리더십도 많이 배웠습니다.

리더들의 은혜를 잊지 않겠습니다. 리더들에게 배운 대로, 후배와 신입 공무원들을 격려해주고, 배려해주면서 지낼 것을 약속하겠습니다.

좋은 리더를 만나는 것은 인생 최고의 덤입니다.

# 세계최고 병원들

“엄마 나 배 아파!”

우리나라 시간은 오전 11시 27분이고 캐나다는 밤 9시 27분이었을 때, 아들에게서 전화가 왔습니다. 평소에 엄살도 없고 어지간하면 연락도 하지 않던 아들이 다 죽어가는 목소리로 전화를 걸었던 것입니다. 저는 가슴이 철렁했습니다.

“오른쪽 배가 아파, 정확히 맹장 위치가 어디야? 나 맹장이면 어떡해?"

고모랑 고모부는 알고 있냐고 물으니 이미 약을 사러 갔다고 합니다. 저는 너무 걱정되는 마음과 달리 침착하게 말했습니다.

"너무 걱정하지 말고, 언제부터 어떻게 아팠어? 배꼽 기준으로 상하좌우 중 어디 부분인지 알겠어?"

한 시간 전에 배가 조금 아팠는데, 저녁밥을 먹고 나니 아파서 움직이기도 힘들 지경이라고 해왔습니다. 오른쪽만 찢어지는 것 같이 아프고, 다른 특별한 증상은 없다기에 일단 일단 들은 이야기로 의사선생님에게 물어보고 전화를 주겠다고 했습니다. 10분 뒤에 다시 전화 했더니 아들은 그새 엉엉 울고 있었습니다. 고모부랑 병원에 가는 중이었습니다.

"재문아, 지금 증상으로 봐서는 맹장이나 결석이 아닌가 싶다고 하시네. 피검사부터 하고 CT 찍어보면 더 잘 알 수 있다고 하니까 큰 문제는 없을 거야. 아파도 조금만 더 참아. 엄마가 기도하고 있을게."

고모가 따로 전화를 받지 않는 걸 보니 병원 검사 중인 것 같아 기다렸습니다. 1시간이 지나 전화해보니, 맹장은 아니고 통증은 가라앉았다고 했습니다. 잠시 뒤 고모부에게 온 문자를 보니 안심은 되었습니다. 복부에 가스가 차서 통증이 왔던 것 같고, 피검사 소견을 듣고 내일 초음파검사를 해야 정확한 진단 결과를 들을 수 있다고 해왔습니다. 혹시 맹장이나 담석증이 아닐까 싶었는데, 고모부가 맹장은 아닌 것 같으니 걱정 말라고 했습니다. 고모부는 1년 전 캐나다에서 맹장수술을 하기 까지 이틀이나 걸렸었는데, 병원이 이것저것 검사하면서 빨리 치료해주지 않은 경험이 있습니다. 한국이었으면 몇 시간에 끝났을 텐데 말입니다. 고모부 말을 듣다 보니 아들의 진료와 치료도 늦게 해줄 것 같은 불안감이 생겨 새벽 1시에 메시지를 보냈습니다. 아들에게서 곧바로 전화가 왔습니다.

"엄마, 지금 병원인데 배는 이제 안 아파. 오늘 아침에 초음파 검사했을 때 오른 쪽 아랫배에 조그맣게 뭐가 보인다고 해서 CT 검사 해봐야해. 지금 기다리고 있고, 아침에 고모부가 태워다 주고 출근하셨어."

혼자 있나 싶어서 놀랐는데, 다행스럽게도 고모 집

에 홈스테이 하는 한 살 많은 형이 같이 있다고 합니다. 금요일이라 학교 수업이 없어서 병원에 동행해준 것이었습니다. 만약 수술이 잡히면 보호자 동의가 필요하니까 고모부에게 와달라고 말하고, 그때까지 의사 선생님에게 지금 상황에서 최선의 방법이 무엇인지 물어보고 그것에 따르는 것이 가장 좋은 방법이라고 알려주었습니다. 그런데 자주적인 아들답게 이런 대답이 돌아왔습니다.

"엄마, 근데 내 몸인데 내가 결정해야지. 누구한테 물어봐? 내가 의사에게 물어보고 할게."

이 말을 듣고 아들이 다 컸네 싶으면서도 짠한 마음이 들었습니다. 아프면 더 슬프고 서러울 텐데 너무도 담담하게 말해왔습니다. 통화를 끝낸 후에도 저는 잠을 잘 수가 없었고, 기도하고 시계 보기를 반복하다가 걱정되는 마음에 새벽 4시 30분에 아들에게 전화를 했습니다. 결과는 나왔니, 주사는 잘 맞고 있니 등등의 질문에 돌아온 딱 한 마디 아들의 대답 한마디를 듣고 저는 깜짝 놀랐습니다.

"나 지금 앉아서 주사 맞고 있어."

"뭐라고? 지금 수액 맞고 있는 거 아냐? 어떻게 주사를 앉아서 맞아?"

저는 아들의 말을 듣고도 이해가 되지 않았습니다. 병원에 근무도 해보고 직접 가서 숱하게 수액을 맞아본 저인데 앉아서 주사를 맞는 사람을 본 적도 없고, 저 역시 그런 적이 없었으니까요. 환자가 몇 시간씩 대기해야 하고, 앉은 채로 수액을 맞게 하는 병원이 우리나라에 있었다면 신문에 대문짝만한 기사가 실릴 정도의 심각한 문제라고 생각했습니다. 병원비를 보낼 생각으로 금액을 물어보니, 검사비와 수술비까지 전부 무료라는 말을 들었습니다.

다시 한 시간이 지나 아들에게 전화가 왔습니다. 바이러스에 감염 되어서 항생제 치료만 하면 나을 거라는 반가운 소식이었습니다. 1박 2일 동안 한숨도 못 자고, 걱정했음에도 다른 이상은 없다는 결과에 전혀 피곤하지 않았습니다. 그렇게 사건이 일단락되었지만, 앞으로 혹시 아픈 일이 생기면 어쩌나 하는 생각이 들었습니다. 우리가 선진국이라고 알고 있는 캐나다, 호주, 영국에 거주하는 사람들이 하나같이 하는 말이 있습니다.

'병원은 한국이 최고' 라는 말입니다.

중국 상하이 교민들도 똑같은 말을 합니다. 친절

하고 깨끗하고 빠른 진료와 저렴한 병원비로 치료 받을 수 있으니 말이죠. 아들이 한국에 있었다면 그 마음고생은 하지 않았을 거란 생각에 화가 나고, 미안해지기도 했습니다.

실력 있는 의술과 친절함, 선진 의료 시스템이 갖춰진 우리나라 병원을 믿고, 사람들이 병원과 더 친하게 지내면 좋겠다는 생각을 했습니다. 태어날 때부터 약했던 제가 이만큼 건강하게 지내는 비결 중 하나가 바로 병원과 친하게 지내고 자주 다녀서입니다. 저는 몸에서 조금이라도 이상한 낌새가 보이면 얼른 병원으로 달려갑니다. 그렇게 해서 후회한 적이 한 번도 없습니다. 몸에서 이상신호를 보내는데 '괜찮겠지!' 하면서 스스로 진찰하지 마시기 바랍니다.

자신의 몸은 자신이 잘 안다면서 진단과 치료를 늦추지 마세요. 정말로 큰일이 생길지도 모르니까요. 내 몸의 '질병'에 대해서는 자신보다 의사가 더 잘 압니다. 전문적으로 공부한 의사선생님들이 있는 세계최고 병원들과 친하게 지내면서 건강 정보도 얻고 정기검진 받아가며 모두 건강한 생활 누리시길 바랍니다.

## 최강검진팀

검진율 높이는데 있어서만큼은 우리 팀이 세계최강이라는 생각은 지금도 변함이 없습니다. 이런 자부심을 가질 만큼 노력하기도 했고 그에 따른 좋은 결과도 있었기 때문입니다. 건강보험관리공단의 조건희 과장님과 이승열 팀장님 그리고 저까지 이렇게 셋은 한 해 동안 전국 최고의 실적을 올리며 전국 1위의 수검률을 기록했습니다. 소속보건소는 2년 연속 전북암관리사업 최우수 기관상과 개인적으로는 보건복지부장관표창까지 받았습니다. 표창장 수여자에게는 제 이름만 새겨져 있지만, 보건소의 팀원들과 공단의 과장님, 차장님까지 함께 받은 상입니다. 그들이 있어서 제가 빛이 난 것이니까요. 그리고 조건희 과장님은 군수상과 도지사 모범표창으로 상을 받았으니 기관과 개인에게 모두 경사나 다름없었습니다.

저는 2013년 2월 28일 자로 '국가암검진사업' 담당자가 되었습니다. 보건지소에서 군 보건소로 발령이 났고 검진담당 업무를 맡게 된 것입니다. 국민건강보험공단의 조건희 과장도 다른 지역에서 업무를 보다가 직전연도에 발령이 나면서 검진담당을 하게 되었을 때입니다. 저도 그렇고 공단의 조건희 과장도 검진율을 높이기 위해 많은 고민을 했을 때였습니다. 조 과장은 해가 바뀌고 담당자가 바뀌었으니 해당 업무를 맡은 사람끼리 인사도 하고 정보도 교류하자는 차원에서 보건소로 인사를 왔고, 저 역시 업무가 생소해서 공단의 지원과 협조를 절실히 느끼고 있었기에 적극적으로 도움을 요청했습니다. 당시 예감이 좋았습니다.

암관리사업 평가대회에서 알게 되어 모임을 갖게 되었고, 서로 정보공유를 하는 팀을 만들 수 있었습니다. '검진팀'이라는 이름으로 건강검진 최일선에서 뛰고 있는 선배들에게도 많은 조언을 들었습니다. 대표적으로 전북김제시보건소의 강신영 선생님, 장수의료원의 유보배 선생님, 김제시 국민건강보험공단 김진수 과장님, 진안공단 조건희 과장님입니다. 한 번씩 만나면 누가 먼저랄 것도 없이 검진 이야기를 시작했고 검진 이야기로 끝났습니다. 그때마다 보험공단의 과장님들은 이런 열정적인 멤버들이 있어 일할 맛이 난다며 보건소 검진 담당자들에게 응원과 박수를 보내주었습니다.

공단은 수시로 간담회를 열었고, 저도 자주 참석해서 정보 교환을 했습니다. 검진율 실적이 부진한 원인에 대해 의견을 내야 했을 때 공단은 실적이 좋은 지역의 사례를 발표했고, 저 역시 검진율이 낮은 이유를 분석해서 발표했습니다. 결론은 '인식과 홍보의 부족' 때문이니 이 점을 보완한다면 높아질 것이라고 했습니다.

지역행사는 읍이나 면마다 있기 마련인데, 특히 면민의 날과 군민의 날 같은 큰 행사들이 있는 날이면 주민 참여가 높습니다. 가장 많은 주민들이 참석하는 면민의 날에 우리가 현장으로 가서 홍보를 하면 효과적일 것이라고 제안했습니다. 공단의 조 과장님과 이 팀장님도 좋은 생각이라며 흔쾌히 찬성해주었습니다. 면민 행사는 주말이나 공휴일 등 황금 같은 주말에 개최된다는 사실을 알고서도 개의치 않아하며, 오히려 열심히 뛰어보자고 서로 격려하며 시작했으니 저는 완전히 천군만

마를 얻은 것이었죠.

행사가 잡힌 면사무소에 미리 들러 면장님과 담당 공무원들에게 협조 요청을 하며 홍보부스를 마련해주길 부탁했습니다. 준비할 것도 많고 정신없던 면사무소였지만, 일단 해보는 것으로 어렵사리 부스를 얻어내는데 성공했습니다. 공단직원들만 왔다면 불가능했을 것이라는 조 과장님의 너스레에 작지만 제 힘이 보탬이 된 듯해서 기분이 좋았습니다. 조 과장님은 "전쟁터에 가려면 무기가 있어야 한다"며 공단의 골밀도측정을 담당하는 검진 담당과 함께 홍보부스에서 무료 측정을 해주었습니다. 마침 홍보물이 부족했을 때, 전북지역 암센터에서 홍보물과 교육 강사, 홍보요원을 지원해준다는 공문을 받고 하늘이 우리를 돕는다고 생각했습니다. 주말이 아닌 평일 행사가 잡혀있을 때는, 암예방 서포터즈를 하려고 모여든 대학생 자원봉사자들과 함께 더욱 활발하게 진행할 수 있었습니다. 특히 암예방 전문 강사들의 특강효과는 매우 좋았습니다. 우리 팀이 열심히 해보겠다는 의지를 보이며 움직였고 국립암센터까지 함께하면서 시너지를 냈습니다. (국가암검진 공식홍보: 보건소, 국민건강보험공단, 국립암센터)

우리는 여러 문구를 작성한 현수막을 설치해서 큰 목

소리로 국가암검진의 필요성을 말했습니다. 그때 작성했던 문구들은 지금도 자주 사용하고 있습니다.

- 혈압, 혈당 무료측정
- 국가 암검진 안내 및 치매상담
- 엄마. 아빠 국가암검진 꼭 받으세요
- 국민건강보험과 함께하는 무료 골밀도 검사

제일 처음으로 진행한 안천면에서 가장 인기 있던 곳은 우리 부스였습니다. 골밀도 검사를 했기에 시골에 사는 어르신들이 높은 관심을 보였습니다. 부스를 제공해준 안천면 관계자들도 주민들의 높은 관심과 만족도에 한껏 고무되었습니다. 주민들이 순서를 기다리는 동안 저는 암검진 및 암환자의료비지원 정책을 홍보했습니다. 면민들이 주목하고 흡족해하는 표정을 아직도 잊을 수가 없습니다. 그 다음 예정지였던 부귀면에서는 먼저 연락이 와서 골밀도측정을 부탁해왔습니다. 안천면 행사에 와서 줄서서 기다리던 면민들을 봤다는 것이었습니다.

그 당시 우리 최강팀을 더욱 빛나게 해준 인구보건복지협회 전북지회에도 큰 감사를 드립니다. 인구보건복지측이 안천 동향면 출장검진 때 "조기 발견자분들은 검진을 허투루 알면 안 된다"고 말해줘서 무척이나 고마웠습니다. 보통의 출장검진기관이 국가5대암 중 3개 암에 대해서만 진행하는데, 인구보건협회는 간암을 제외하고 4개암에 대해 검진을 해주었고 주민들에게 각별한 애정을 가지고 성심껏 검진했습니다.

그렇게 11개 읍면을 돌며 면민의 날을 포함한 행사 때마다 돌고 또 돌았습니다. 하반기부터는 각 면에서 먼저 연락이 온 곳들이 많아져서 대우도 받을 수 있었습니다. 행사를 마치면 모여서 다시 회의를 했습니다. 어떻게 하면 검진율, 수검률을 더 높일 수 있는지 머리를 맞대고 있으면 없는 방법도 생겨나는 듯했습니다. 의견을 주고받는 것이 도움이 되었고, 업무로도 이어졌던 것이었습니다. 업무처리를 잘하는 다른 지역의 보건소 선배들에게도 정보를 입수했고 예산은 덜 들면서 할 수 있는 방법들은 즉각 실행하기도 했습니다. 그때 얻은 정보 중에 하나가 주민들이 대변을 받기 쉽도록 작은 플라스틱 통을 나눠주는 것이었습니다. 비용은 저렴하면서 대장암 검사에 분변체취만큼 편하고 효과적인 것도 없거든요.

공단의 두 분은 퇴근 후에도 홍보 자료를 만들어서 다음 행사장 홍보에 지장이 없도록 지원해주었습니다. 공단은 공단대로 실적이 좋아서 좋고 저는 저대로 눈에 띄게 좋아지니 셋은 늘 신이 났습니다. 신나게 일하는 분위기이니 모든 일에 자신이 생겼습니다. 저는 면장님들과 지역이장님들에게 협조 요청을 했습니다. 우리 지역 주민들이 검진을 통해서 중증질환에 대해 조기발견하고 치료와 함께, 정부에서 지원하는 의료비지원을 받을 수 있도록 해달라고 부탁했습니다. 행사 날에 면민들이 줄 서서 검사를 받는 등 암에 대한 관심이 높아진 것을 확인한 면장님과 이장님들은 더 많은 도움을 주었습니다.

지금의 의료원이 아직 생기지 않았을 무렵, 출장 검진 차량들이 각 면으로 올 때였습니다. 면사무소에서 요청한 첫 번째는 면민들에게 양질의 서비스를 제공하는 것과 검진 이후에도 지속해서 후속관리를 해주는 것이었습니다. 면민의 날 행사에서의 홍보는 날이 갈수록 더 크게 흥행했습니다. 3월부터 시작되어 7월까지 연속으로 줄서서 검진 받는 면민들의 모습이 신문에도 실렸습니다. 면민의 날 스케줄에 맞춰 2~3일 뒤에 검진차량을 방문하게 했고, 이장님, 군보건소 담당 검진팀, 진료소장까지 적극적으로 홍보한 결과 예상 인원보다 훨씬 많이 모인 것입니다. 출장검진 때마다 거의 백 명이 넘게 몰려들었습니다. 검진 기관들도 모두 놀라워하며 좋아했습니다. 우리는 여세를 몰아 다른 면들에게도 적극 홍보했습니다. 면장님들과 이장님들 역시 발 벗고 협조해주었기에 가는 곳마다 성공적인 검진율을 기록하게 되었습니다.

그야말로 대성공이었습니다. 우리 군이 속해있는 전라북도의 검진기관뿐만 아니라 타 지역의 병원들과 광역시에서도 우리 보건소로 출장검진을 오겠다고 연락이 올 정도였습니다. 면민들 모두가 좋아하니 이장님들과 면장님도 덩달아 기분이 좋아졌고 우리에게 더 좋은 서비스를 요청해왔습니다. 검진기관들이 먼저 나서서 참여를 원해서 우리는 자체적으로 심사까지 할 수 있었습니다. 건강보험공단의 검진담당자가 출장검진차량을 체크하고 시설과 규정을 잘 지키고 있는지 점검하고, 특징과 장점을 분석했습니다. 검진율이 좋아지니, 주민들에게 더 나은 서비스와 환경을 제공할 수 있게 된 것이었죠. 주민들에게 좋은 검진기관을 찾으려고 함께 고민하는 것은 무엇보다 보람 있는 일이었습니다. 검진기관들도 수검자들이 많아져서 더 좋은 서비스를 내걸었고, 선순환이 되니 어느 누구의 불평 하나 없는 시간이었습니다.

표절이라는 건, 꼭 나쁜 것이라고 할 수 없습니다. 저는 좋은 글이 있으면 손으로 따라 써보기도 하고, 다른 사람이 하는 것 중에 좋은 것이 있으면 따라 하고자 합니다. 물론 그것을 어디에 이용한다든지, 제 것처럼 만드는 것은 아닙니다. 말하자면 '좋은 표절'을 하는 것입니다. 좋은 것을 발견하고, 배우고 공부해서 제 것을 탄생시킨다면, 충분히 해낼 수 있습니다.

우리 검진팀은 다른 사례를 적극적으로 참고해왔습니다. 1년에 한 번씩 열리는 '전국 암관리사업' 평가대회장에 가서 우수사례와 전시된 자료를 보고고 배워서, 따라해 본 것들이 많습니다. 당시 충남 부여군, 경북 경주시에서 열린 행사장을 가보았고 우수사례를 발표한 전남 장성군의 '대장암 홍보용 대변통'은 즉각 시행했습니다. 대변통함을 준비해서 보건소, 보건지소, 읍사무소, 면사무소와 사람들이 많이 모이는 곳에 비치해놓았고 공무원들에게 협조요청을 했습니다. 실적이 잘 나오는 보건소는 어떤 방법을 써서 성과가 나타났는지도 알아보았습니다. 그렇게 촉각을 곤두세우고 있다 보니 검진 관련 행사가 있으면 늘 찾아가서 자료를 수집하고 정보를 얻었습니다. 남들이 잘하고 있고, 저도 따라할 수 있는 일이라면 무조건 하자고 마음먹었습니다. '저렇게 한다고 정말 될까?' 하는 의심은 하지 않았습니다. 예산 청구가 필요 없는 일들은 곧바로 실행하고, 좋은 아이디어지만 예산 문제와 인원 투입 등의 보고 사항이 필수인 경우 상부에 보고서를 제출했습니다. 늘 하던 대로 1안, 2안, 3안을 나열하고 이를 시행했을 때 나타날 효과에 대해서 작성했습니다. 이미 보고 배워온 것들은 성과에 대한 증명이 된 것들이라서 지역과 상황에 맞게 적용만 하면 위험부담도 적고 실패의 확률도 적었습니다.

잘하는 사람들의 노하우를 배우고 따라 해보는 것은 꼭 검진사업에만 해당하는 것이 아닙니다. 살아가는 모든 문제가 배우는 것이고, 배운 것을 실행하는 것은 옳은 일이라는 생각입니다. 후배들에게도 좋은 것은 따라하라고 말해줍니다. 시간과 비용절약에 벤치마킹보다 좋은 것은 없으니까요.

검진율 성적도 성적이지만, 건강검진도 중요하고, 검진율도 중요하지만 그것을 이끌어내는 것 또한 매우 중요합니다. 주민들이 조기 검진을 통해 조기에 발견하고 치료까지 하게 되었다는 소식을 들으면 그 기쁨은 말로 설명할 수 없습니다. 우리는 서로가 필요했고, 서로에게 좋은 영향을 줄 수 있었습니다. 그리고 결국 해냈다는 사실이 항상 자랑스럽습니다. 보건소 공무원을 포함해 우리나라 모든 공무원들이 한명씩이라도 건강검진을 독려한다면 모두가 세계최강검진팀이 될 거라 생각합니다. 대한민국의 보건소 공무원들과 건강보험공단이 국민을 위해 최강이 되는 그날을 기다립니다.

## '국가암검진'이 국정평가에서 제외되는 그날까지

국가암검진사업이 국정평가에서 제외되면 좋겠습니다. 제 업무를 하기 싫어서가 아닙니다. 모든 국민이 자발적으로 검진에 참여해서 더는 국가가 나서지 않아도 되길 소망해서입니다. 암검진사업이 제외된다고 해서 공무원들이 편해지고 일이 줄어든다고 생각하는 독자들은 안 계실 거라 봅니다.

국가암검진사업이 국정평가에서 제외될 만큼 전 국민의 검진의식이 높아진다면 그만큼 건강한 우리나라가 될 것입니다. 전반적으로 국정평가에 들어가는 항목들은 예산이 많이 들어가는 것에 비해 참여율은 떨어지는 편인데, 그런 항목 하나가 줄어들면 그만큼 예산도, 인력도 아껴지는 것입니다. 그렇게 남는 인력과 예산은 국민에게 실질적인 혜택으로 돌아갈 겁니다.

국민 한 사람 한사람이 더 이상 누군가의 권유로 건강검진 받지 않는 그 날까지 우리 보건소, 국민건강보험, 암센터에서도 지속해서 홍보하겠습니다.

인지심리학자의 강연 중에 듣게 된 말인데요. 다양한 직업과 나잇대의 여러 사람을 61년 동안 연구한 결과, IQ와 성격은 20세 이상이 되면 절대 변하지 않는다고 합니다. 이 말에 공감하지만, 20세 이상이 되면 반드시 변하는 것도 있습니다. 바로 건강입니다. 건강은 어떻게든 변하게 되어 있어서 관리를 잘하지 못하면 빠른 속도로, 나쁜 쪽으로 변하게 됩니다.

여성이 20세가 되면 신체와 장기에 급격한 변화가 생기는데, 그만큼 질병으로부터 노출이 많아지는 나이라고 보면 됩니다. 그래서 여성은 만 20세가 되면 자궁경부암 검진을 받을 수 있게 되었습니다. 현재 만 12세가 되는 1학년 여중생을 대상으로, 보건소에서 자궁경부암 무료 예방접종을 하고 있습니다. 만 20세부터는 2년에 한 번씩 국가암검진으로 자궁경부암 검진도 하고 있습니다. 그래서 생각한 것인데요, 우리 딸들이 20세가 되는 성년의 날에 꽃이나 향수만 선물할 게 아니라 자궁경부암 검진 쿠폰도 함께 선물하면 어떨까요? 딸들이 성인이 되었으니 스스로 책임질 줄 아는 어른으로 잘 성장해준 고마움까지 편지에 적어서 주면 좋을 것입니다. 예쁜 따님의 성년의 날 선물로 꼭 '자궁경부암 검진권'을 주면서 좋은 대화를 나누시길 바랍니다. 20세 이상이 되는 여성의 건강검진 의식이 확실하게 자리 잡힌다면 검진율은 자연스럽게 높아질 겁니다.

검진율이 높아져야 국정평가에서 제외될 수 있는데, 수검률 기록을 보면 갈 길이 멀기도 합니다. 2016년 국가암검진 수검률은 41.4%로 나왔습니다. 우리나라 검진율은 이처럼 인구의 절반에도 미치지 못합니다. 의료급여수급자의 수검률은 30.7%로 더 심각합니다. 이렇게 수검률이 저조하다 보니 여전히 국정평가에서 중요하게 여겨지고 있고, 보건소나 국립암센터, 국민건강보험공단 직원들이 온갖 방법을 다 동원해서 건강검진 홍보를 하는 것입니다.

건강검진의 종류와 특징에 대해 다시 한번 말씀드리

겠습니다.

- 일반건강검진: 전 국민이 홀짝 연도에 따라 2년에 한 번씩 받는 검진(사업장 사무직은 2년마다, 비사무직은 1년마다)
- 국가암검진: 건강보험가입자 하위 50% 대상자, 의료급여수급자, 간 질환 유소견자
- 생애전환기검진: 만 40세와 66세.

40세: 다양한 질병(성인병)이 시작되는 시기

66세: 다 질환자(여러 가지 질병)가 급증하는 시기(근골격계, 심혈관, 뇌혈관질환, 혈관성치매 등)

- 청소년건강검진: 초등학교 4학년, 중학교 1학년, 고등학교 1학년(학교에서 통지)
- 영유아건강검진: 생후 4, 9, 18, 30, 42, 66개월 총 7차

검진을 담당하는 부서원들의 관심사는 오직 '어떻게 하면 검진율을 높일 수 있을까' 입니다. 회의를 하다 보면 갖가지 아이디어들이 쏟아지는데, 파격적인 특혜를 주자는 의견이 나오기도 합니다. 그중에 몇 가지는 아직 실행되지 않았지만 가능성도 있어 보이고 개인적으로 생각했던 아이디어를 모아봤습니다.

> **1.** 직장인들이 건강검진을 받으면 다음 날 하루 동안 건강관리를 위한 휴가 주기

**2.** 경각심을 주는 사진과 강한 어조의 금연광고처럼 건강검진도 강력한 내용으로 TV 광고하기

**3.** 의료급여수급자 선정이나 재심사 시에 "건강검진 확인서"(해당 가족포함) 제출 의무화하기

(2006년 홍역박멸선언 : 과거에 홍역을 퇴치했던 방식. 홍역 예방접종률이 저조해서 접종 시기에 미 접종 후 초등학교에 입학한 어린이로부터 홍역과 볼거리가 전염되자 정부에서 대안을 마련 "예방접종확인서"를 제출해야 초등학교에 입학할 수 있게 했음)

**4.** 일반인들이 검진을 받아서 '정상소견' 이 나올 경우 국민건강보험과 민영보험회사에 제출하면 보험료 할인이나 1개월분을 환급해주기.

**5.** 국가암검진 대상자 명단이 현재 3월에 나오는데 연초인 1월까지 검진담당들에게 보내주기 (농한기인 겨울철에 검진 독려하기 좋고 시골의 검진대상자들도 검진이 쉬울 수 있음)

**6.** 정확한 데이터 구축

(예를 들어, 자궁암 진단받은 환자에게 검진대상자라고 안내하게 되면 환자에게 또 한 번의 상처를 주는 것이 된다)

말씀드린 내용 중에 일부는 이루어지지 않을 수도 있는 문제라고 생각합니다. 하지만 어떤 방법을 써서 검진율이 높아진다면, 비용과 인력이 아껴지게 되어 매우 크고 좋은 효과가 있을 듯합니다. 국가암검진 사업이 예전에 '국정평가항목' 이었다는 사실이 과거의 역사속으로

사라져버리는 꿈까지도 꿔봅니다.

단체검진에 대해서도 말씀드리겠습니다. 중소도시나 군 단위에는 농공단지가 있습니다. 저 같은 경우는 농공단지를 돌며 사업주와 노동자들에게 검진독려 브리핑을 자주 해서 좋은 효과를 보았습니다. 일단 숫자가 많으니까 수검률 향상이 눈에 띄게 좋아졌습니다. 한 사람 한 사람이 검진을 받도록 하는 게 우리의 임무이지만, 시간과 몸의 한계라는 게 있으니 이왕이면 한 번에 많이 만나는 게 좋은 방법이라고 생각합니다. 안타까운 것인지, 다행인지 농공단지에서 근무하는 노동자들은 상당수가 국가암 대상자이기도 합니다.

끝으로 가장 중요한 마음가짐에 대해 말해보겠습니다. 검진담당을 하는 공무원들이 주민과 말을 시작할 때는 "검진받으셨어요?"라고 말하고 끝낼 때는 "꼭 검진받으세요"라고 하면 좋습니다. 저도 그냥 넘어간 적이 있었지만, 초면에 만나는 사람에게나 앞에 나가서 발표할 일이 생기면 늘 하려고 노력합니다. 제 말을 듣고 정말 검진을 한 후에 "덕분에 검진 잘 받고 왔다"는 연락도 받은 적이 있습니다. 작은 행동일지라도 소속보건소의 수검률과 관계없이 조기검진의 중요성을 알리게 되면, 그들의 삶에 좋은 영향을 끼치게 됩니다. 전 국민이 건강 검진을 잘 받아서 수검률이 국정평가항목에서 빠지는 그날까지 함께 뛰면 좋겠습니다. 자랑스러운 보건소 공무원님들 사랑합니다.

# 나이가 되면 보너스 검진

국가암검진의 5대암 검사와는 별도로, 40세와 66세에만 할 수 있는 추가 검사가 있습니다. 바로 '생애전환기' 검사입니다. 저는 만으로 49세로 9년 전 1차 전환기검진을 받았고, 17년이 지나면 2차 전환기검진을 받습니다.

올해는 만 40세와 66세가 되는 1976년생과 1950년생이 해당이 됩니다. 생애전환기라는 말이 생소하게 들릴지 모르겠는데요, 한마디로 중년이 되고 노년이 되는 시기를 말합니다. 사람의 몸은 나이별로 변화가 오고, 그에 따라 검진도 달라져야 예방과 관리를 할 수 있기에 이와 같은 검사가 시행되고 있습니다.

40세에게는 일반검진 외에 구강검진(치면세균막 검사)과 간염검사(B형 간염 표면항원 양성자 또는 자동, 피동면역으로 인한 항체형성자 제외)를 진행합니다. 66세는 일반검진과 함께 골밀도 검사(여성), 노인 인체 기능검사, 낙상검사를 진행합니다. 노인이 되는 시기에는 그만큼 인체 기능의 저하로 인한 낙상 위험이 높아져서입니다.

생애전환기 건강검진은 1차와 2차 총 2회로 구성되어 있습니다. 일반검진은 검진 후 이상 징후가 발견되는 사람만을 대상으로 2차 검진이 이루어지지만, 생애전환기는 다릅니다. 생애전환기는 1차 검진을 받은 사람 누구나 2차 검진 대상자가 됩니다. 국가암검진기관에서 1차 검진을 받으셨다면 결과가 나온 후 그곳으로 다시 가서 검진을 받으면 됩니다. 2차 검진 때는 우울증검사와 1차 검진의 결과에 대해 상담도 해주고 생활습관검사도 합니다. 검진대상자는 12월 31일까지 받도록 하고 다음 해 1월 31일까지 2차 검진도 완료하셔야 합니다. 연말에는 검진기관들이 북새통이니까 서두르는 게 좋습니다. 내가 해당이 되지 않더라도, 우리 부모님과 지인들이 해당 되는 나이인지 알아두었다가 알려주면 좋겠습니다.

66세보다 한 살이 어린 65세는 전 국민을 대상으로 하는 무료예방접종을 받을 수 있습니다. 65세 이상 사망률 1위를 기록하는 병과 관련된 접종입니다. 혹시 노인 치사율 1위 질병을 아시나요? 병명은 폐렴입니다.

65세 이상 고령자에게 폐렴 예방접종은 필수이고 전국 보건소와 보건지소에서 주소지와 관계없이 무료로 예방접종을 실시하고 있습니다. 65세 이상 부모님과 이웃들에게도 꼭 알려서 예방접종 받으라고 알려주세요. 폐렴을 우습게 봐선 안 됩니다.

폐렴은 호흡기를 통해 각종 세균이 유입되어 폐에 다양한 염증을 발생시키는 질병입니다. 세균 중에는 폐렴을 일으키는 주원인인 폐렴구균이 약 70%를 차지합니다. 이 폐렴구균은 공기 중에 항상 떠다니는데, 면역력이 떨어질 때 우리 몸에 침투합니다. 폐렴의 초기증상이 감기와 비슷하기 때문에 감기약으로 넘어가는 경우도 있는데 65세 이상 어르신들은 면역력이 약한 상태라 합병증이 발생하면서 폐렴으로 이어질 수 있습니다.

대부분의 감염병은 간단한 예방수칙만으로도 예방이 가능합니다. 아래는 질병관리본부가 선정한 행동 수칙입니다. 생활 속에서 쉽게 할 수 있는 것들이니, 이러한 습관을 들여 감염을 피하시길 바랍니다.

### 감염병 예방을 위한 5대 국민행동수칙

**1.** 올바른 손 씻기: 비누 또는 세정제 등을 사용하여 흐르는 물에 30초 이상 손을 씻어야 한다. 많은 감염병이 손을 통해 전파되는데, 올바른 손씻기는 손에 있는 세균과 바이러스를 대부분 없애주기 때문에 손씻기만 제대로 해도 70%의 질병 예방이 가능

**2.** 기침 예절 지키기: 기침이나 재채기를 할 때는 손이 아닌 휴지나 옷소매 위쪽으로 입과 코를 가리고 한다. 기침을 할 때 손으로 입을 가리면 침에 있는 바이러스가 손에 묻거나, 입을 가리지 않으면 침이 주변으로 튀어 주변 사물이나 사람에게 바이러스가 전파될 위험이 있다. 이는 대부분의 호흡기 감염병을 예방할 수 있으며, 마스크를 착용하고, 손을 자주 씻어야 한다.

**3.** 음식 익혀 먹기: 음식은 충분한 온도에서 조리하고 물을 끓여 먹는다. 대부분의 세균이나 바이러스는 열에 약하기 때문에 콜레라, A형간염 등 수인성 · 식품매개 감염병 예방의 기본방법

**4.** 예방접종 받기: 접종 일정에 따라 권고되는 예방접종을 받아야 한다. 예방접종은 개인, 공동체의 면역력을 높여 감염병을 예방하는 가장 과학적인 방법이며, 합병증으로 인한 입원, 사망률도 크게 낮출 수 있다.

**5.** 해외여행 후 기침, 발열등 감염병 의심증상이 있는 경우, 입국 시 검역관이나 의료기관 진료 시 의사에게 여행한 국가와 여행 기간을 알려야 한다

# 꼭 알아야 할 복지정책들

"제가 가입한 암보험이 있나요?"

"암보험이 있다면 진단비는 얼마고 얼만큼이나 보장이 되어있나요?"

암이 의심되거나, 암 진단을 받게 되면 보험에 가입한 사람들이 보험설계사에게 하는 질문이라고 합니다. 이런 질문을 받는 보험설계사들은 가입 내용과 항목별 보장금액을 알려줄 텐데요, 제가 보험설계사님들에게 좋은 정보를 알려드리겠습니다.

고객들의 전화가 오면, 보험 내용을 정확하게 확인하는 동안 먼저 보건소에 전화해보라고 안내해보세요. 국가암검진사업으로 의료비지원을 받는 사람들은 기초생활수급자만 해당되는 게 아니기 때문입니다. 건강보험 가입자 중에 하위 50%에 해당하는 국민이 국가암검진 대상자이고 의료비지원을 받을 수 있습니다. 지원이 된다고 해서 가만히 있으면 의료비지원을 해주지 않기 때문에 꼭 보건소나 국민건강보험공단에 알아봐야 하는 것입니다.

다시 정리해보자면, 국가암검진기관에서 검진을 받았는지 물어보고, 검진을 받았다면 보건소에 연락해보라고 권해야 합니다. 대상자의 경우 3년 동안 최고 6백만 원까지 의료비지원을 받을 수 있다고 알려주세요. 고객들에게 직접적인 도움을 주게 될 겁니다.

고객이 암 진단을 받은 이후에 이러한 전화를 받게 되면 당황스럽고 안타까운 일이니까 미리 알려주면 좋겠습니다. 저도 여러 보험을 가입하면서 보험설계사들한테 물어보았는데, 거의 모르고 있었습니다. 암이 보장되는 보험계약을 체결하면서 암 진단이 나오면 돈이 많이 들어간다는 설명에 덧붙여, 국가암검진사업에 대해서도 설명해주세요. 전문가가 되는 것은 물론이고, 더 친절하고 신뢰할 사람으로 인정받을 수 있을 겁니다.

암검진에 관한 홍보를 맡고 있는 사람들은 사실 많지 않습니다. 보건소, 국민건강보험공단, 국립암센터 세 곳의 기관 전국 직원들을 모두 합해도 보험영업 하는 분들의 10분의 1정도밖에 되지 않습니다. 국가암관리법 시행령에 의해 홍보를 맡은 기관만이 하는 일이 아니라고 생각합니다. 몰라서 청구하지 못하고, 순서를 바꾸는 바람에 청구할 수 없고, 국가암검진기관이 아닌 곳에서 검진을 받는 바람에 청구자격 자체가 없어져 버리는 일들이 지금도 많이 발생하고 있습니다. 최대 6백만 원이라는 의료비지원은 보험회사에서 지급하는 것과 별도입니다. 고객들만 좋은 것이 아니라, 보험회사에서도 좋은 일입니다. 보험공단 직원들과 보건소 직원들끼리 나눈 이야기인데요, 모든 국민이 정기적으로 검진을 받게 되면 보험회사가 제일 좋아할 것이라고 말하곤 합니다. '암 진단비'는 똑같겠지만 치료비와 입원 일당이 줄어들 것이라고 생각해서 한 말입니다. 정기검진을 하면 초기에 발견될 확률이 높아집니다. 당연히 조기발견으로 이어지고 조기치료로 완치될 확률까지 높아지는 것입니다. 조기검진과 조기치료는 환자와 가족만 행복하게 하는 게 아닙니다. 국민건강을 염려해서 많은 지원을 하고 있는 국가도 행복해집니다.

지원정책이 있는데도 불구하고, 그 정보에 대해 알지 못해서 챙기지 못하는 것들이 정말 많습니다. 알면 이익이 되는 복지정책 몇 가지를 말씀드리겠습니다. 재정이 고갈되는 시점까지만 운영되는 한시적인 정책들도 있으니 자세하게 알고 싶으면 가까운 보건소에 문의해보면 됩니다.

- 암으로 인한 병원비에 대해 상한제가 있습니다. 국민 누구나 해당이 되는 내용이니까 혹시라도 상한금액을 넘게 계산하셨다면 넘는 금액만큼 돌려받을 수 있다는 사실도 알아주세요.

1년간 환자본인부담 진료비총액(2016년 기준 121만 원~509만 원, 비급여와 일부항목은 제외)

문의- 국민건강보험공단 1577-1000

- 소아암환자지원

만 18세 미만 소아청소년 암환자 중 의료급여수급자, 차상위본인부담경감대상자, 건강보험가입자 중 재산기준 만족이면 백혈병에 3천만 원 기타 암종에 2천만 원(조혈모세포 이식 시 3천만 원)

문의- 거주지 보건소

- 긴급의료비지원

갑작스러운 중한 질병 등으로 수술(수술에 준하는 시술)이 필요하지만 자력 또는 다른 지원 등이 없어 경제적 부담으로 치료받지 못하는 대상자에게 의료비를 최대 3백만 원 까지 지원하는 제도입니다. 입원 전이나 입원 직후에 국번없이 129번으로 신청하고 거주지 시/군/구청이나 읍/면/동 주민센터에 방문 신청하면 됩니다.

**문의- 거주지 읍, 면, 동 주민센터**

● 중증질환 재난적의료비 지원사업

최대 2천만 원까지이며 본인부담 의료비에 따라 50~70%까지 차등 지원합니다.

본인부담의료비는 선택진료비, 상급병실료 등 비급여 항목도 포함되며(단, 특실료 임의비급여 제외) 수술비용뿐만 아니라 항암화학요법, 방사선치료, 색전술에 대해서도 지원하며 입원 및 외래(항암) 진료를 합하여 총 180일까지 지원합니다.

**문의- 국민건강보험공단 1577-1000**

● 생계지원제도

암 치료 과정에서 경제활동 중단 등으로 생활의 어려움이 있을 때 신청 가능한 국가 지원제도입니다. 맞춤형 기초생활보장제도로 지원 기준(소득인정액 및 부양의무자 기준)에 적합한 경우에 대상자의 개별상황에 맞춰 필요한 급여(생계/의료/주거/교육)를 지속적으로 지원합니다. 갑작스럽게 위기를 맞이해 생계유지가 곤란하나 다른 지원 등을 받지 못하면 위기상황에 따른 복지서비스를 받을 수 있습니다.

주급여(생계/의료/주거/복지시설이용) 및 부가급여(교육/난방/해산비)를 3개월간 지원하고 필요시에 심의 후 3개월간 연장이 가능합니다.

**문의- 거주지 시, 군, 구청, 보건복지부콜센터 국번없이 129**

보건복지부 홈페이지에 들르면 건강에 관련한 좋은 정보들이 많습니다. 모르고 넘어가면 손해인 것들도 있으니 관심 가져보세요. 검진보다, 치료보다 더 중요한 것은 예방이라는 것도 잊지마시고요. '암'이 발병하고 난 후 치료와 재정적인 문제로 고민하기 전에 예방과 조기진단에 관심을 더 가지게 되면 지금보다 무조건 건강해집니다. 정기건강검진에 조금 더 관심을 가지시고 주변에도 많이 알려주세요. 모두 복으로 돌아올 것입니다.

## 날마다 비상사태

"엄마 온다고 친구들한테 자랑 다해놨는데…."

2014년 6월에 캐나다로 가기로 했던 일정을 취소하고 아들과 통화할 때였습니다. 아들에게 가지 못하는 사연을 말했더니 힘 없는 목소리로 알겠다고 대답해왔습니다. 며칠이 지나 고모에게 들어보니, 아들이 정말 많이 기다렸는지 아침 식사 중에 참았던 눈물을 터뜨리며 대성통곡했다는 것입니다. 그 말을 듣고 마음이 아파 얼마나 울었는지 모릅니다.

아들이 떠나고 난 뒤 1년 6개월 만에 캐나다에 가려던 계획은 수포로 돌아갔습니다. 얼마나 그 만남을 기대하고, 설레하며 기다렸는지 모릅니다. 하지만 저와 아들이 상봉을 못하게 된 슬픔은 아무것도 아니게 되는 일이 벌어졌습니다.

2014년 4월 16일부터 대한민국 공무원들은 모두가 초비상체제였습니다. 모든 국민이 비통함을 느낀 세월호 사고로 인해 공무원들은 모든 휴가 일정을 취소해야만 했습니다. 이미 휴가를 떠난 공무원들도 복귀해야 했으니 제가 어떻게 떠날 수 있었겠습니까. 두 달여가 지났지만 아무도 휴가를 갈 수는 없었습니다. 비상이 걸려 계획했던 일들을 취소하거나 미룰 때마다 '만약에 내가 공무원이 아니었다면 어땠을까?' 하는 생각이 들었는데, 세월호 때는 배안에 갇힌 아이들이 아들과 비슷한 연령이다보니 슬퍼하고 우느라 아무 생각도 들지 않았습니다.

"아들아, 너랑 나랑은 살아 있잖아, 너보다 한두 살 많은 형이랑 누나들은 지금 차가운 바닷속에서… 우리 너무 서운해하지 말자. 다음에 가면 우린 만날 수 있으니까."

저는 우는 아들에게 최대한 의연하게 말했습니다. 그렇게 말하다 보니 계획이 틀어진 것에 대해서는 생각이 나지 않고 세월호 아이들과 그 부모 생각에 목이 메어 말을 할 수가 없었습니다. 언제든 만날 수 있는 아들과 저는 세월호 가족들의 슬픔에 비할 수가 없었습니다.

아들은 다행히도 그해 연말에 한국에 와서 2년이 되기 전에 모자 상봉이 이루어졌습니다. 저는 다음 해인 2015년 6월에 있을 아들의 중학교 졸업식에는 꼭 가기로 약속했습니다. 그리고 해가 바뀌자마자 아들 졸업식에 맞춰 장기근속휴가를 신청했습니다. 그런데 휴가계획서를 제출하고 얼마 지나지 않아 메르스 사태가 터졌습니다. 공무원들은 역시 비상이 걸렸고 휴가 금지와 함께 휴가 중인 공무원들은 모두 복귀해야 했습니다. 더군다나 보건소는 전염병을 담당하는 해당 기관이어서 정말 심각한 비상이었으니 휴가는 생각할 수도 없었습니다.

캐나다에 가기로 한 날짜는 아직 한창 멀었을 때라 먼저 일에만 몰두했습니다. 하지만 메르스는 쉽사리 잦아들지 않았습니다. 아들과 가족들에게 또 뭐라고 말할지가 걱정되었습니다. 게다가 그해는 저만 가는 게 아니었습니다. 남편과 시부모님까지 손자의 졸업식을 보러 함께 가기로 계획을 했었습니다. 특히 아버님의 기대는 남달랐습니다.

제 출산휴가가 끝나고부터 3년 동안 아들을 돌봐주신 시부모님의 손자사랑은 대단했습니다. 아들도 아빠와 엄마보다 할아버지를 더 따른다는 생각이 들 정도였고 아버님도 손자 외에는 보이지 않는 것처럼 예뻐해 주었습니다. 그렇게 각별하던 손자와 오랜 시간 떨어져 있다가 만날 계획이었는데, 이것이 모두 취소될 상황이었습니다. 저만 빠지고 남편과 시부모님만 가면 어떨까하는 생각은 해봤지만 그것도 안 될 일이라는 생각에 취소하는 것으로 결정까지 했습니다.

시간이 지나 메르스 사태는 끝이 나고 비상은 해제 되었습니다. 하지만 메르스가 끝났다고 휴가금지령까지 해제된 것은 아니었습니다. 우리 부서는 비상 때와 다를 바 없이 방문보건과 방역사업에 총력을 기울일 때였으니 제가 빠지면 동료들이 힘들어질 게 분명했습니다. 저는 심각하게 고민을 해야 했습니다. 비상사태는 끝이 났고, 더 이상 환자가 나타나지 않는 시점이 되었으니 계획대로 아들 졸업식에 참석할 수 있겠다는 생각에 이르렀습니다. 아들을 본지가 만으로 2년이 되어가고 있고, 아들의 첫 졸업식마저(초등학교 졸업하기 전에 캐나다로 떠나서 중학교 졸업이 첫 졸업) 참석하지 못한다면 평생을 후회하며 살아갈 것만 같았습니다.

공무원이기 전에 저는 하나밖에 없는 아들의 하나뿐인 엄마니까요. 이런 일이 생길 때마다 공무원이어서 마음이 아프다고 잠시 생각하다가, 공무원이어서 자랑스럽고 감사할 때는 더 많다는 생각까지, 머릿속은 복잡해졌습니다.

20년 장기 근속자에게 주어지는 15일이라는 휴가를 쓸 수 있어서 감사한 반면, 공무원이라 국가비상사태가 생기면 원하는 시기에 계획한 일들을 진행할 수 없을 때 착잡했습니다. 만약에 캐나다를 다녀오는 동안 문제가 생긴다면 사표를 내야겠다는 각오까지 했었습니다. 결국 저는 미루고 미뤘던 휴가를 진행하기로 마음먹었습니다. 제 각오를 들은 계장님은 자신이 책임질 테니 걱정 말고 다녀오라고 했고 동료들도 하나같은 마음으로 잘 다녀오라고 해주었습니다.

외동아들을 둔 엄마의 심정을 모두가 알아준 것입니다. 저는 그렇게 15일 동안 캐나다에서 가족들과 함께할 수 있었습니다. 정말 감사하게도 제가 떠나있던 기간에 아무 문제가 없었습니다. 걱정 말고 다녀오라던 계장님과 모든 문제는 자신이 책임지겠다며 휴가를 다녀오라는 계장님과 걱정 없이 휴가를 다녀올 수 있도록 밀어준 방문보건팀에 다시 한번 진심으로 감사드립니다.

공무원의 비상사태는 모든 재난과 사고에 적용됩니다. 태풍으로 벼가 쓰러지면 담당마을에 가서 농민들과 함께 벼를 세워주고, 과일이 떨어지면 군청홈페이지에 올려서 과일을 사주면서 농민들을 위로하기도 합니다. 4~5년 전까지만 해도 밤사이에 눈이 내려 도로에 쌓이면 새벽에 비상소집이 떨어져 도로 위의 눈을 쓸어야 하기도 했습니다. 그래서인지 겨울철 눈은 공무원들에게 낭만적인 요소가 전혀 아니었습니다. 산불도 보통 문제가 아닙니다. 겨울이 막 지나면서부터 산불 비상기간이 시작됩니다. 불이 나지 않는 때부터 대기하는 것입니다. 2월 1일부터 시작해서 나무에 잎이 필 무렵인 5월 15일까지는 산불예방기간입니다. 군청과 면사무소, 보건소는 주말에 절반의 직원들이 출근해서 대기합니다. 봄철의 지방공무원들은 연기만 봐도 정신없이 달려가기도 합니다. 산불이 발생했을 때는 밤낮 구분 없이 전원이 출동합니다. 때로는 흙을 퍼서 불을 끄기 위해 삽과 괭이를 들고 출동 하기도 합니다.

구제역과 AI도 비상 그 자체입니다. 국민이 불안해하는 뉴스가 생길 때면 공무원들은 어김없이 그 불안을 해소하기 위해 비상체제에 돌입해 있다고 보시면 됩니다.

지역별로 있는 행사 때도 비상근무입니다. 작년에 명

문대 출신이 9급 공무원 시험에 합격하면서 화제가 된 적이 있었는데요. 그의 인터뷰 내용 중에 9시 출근하고 6시 퇴근한 이후에 자기만의 시간을 갖고 싶다는 답변이 있었습니다. 그 말을 들은 공무원들은 하나같이 그 친구가 공무원 생활을 잘 몰라서 그런 말을 한 거라 했습니다. 공무원 중에 정시에 출근하고 정시에 퇴근하는 부서도 물론 있겠지만 그런 경우는 극히 일부입니다. 공무원들은 9시보다 훨씬 이른 시간에 출근하고, 6시는 그냥 정해진 퇴근시간일 뿐입니다. 게다가 주말에도 비상출동도 있고 새벽에 소집을 하기도 합니다. 주말과 명절도 마찬가지입니다. 보건소의 경우 명절에도 1차 의료기관이어서 공중보건의사와 함께 응급환자를 위해 당직이 항상 있습니다. 멀리 휴가지로 출발했다가 전화를 받고 다시 되돌아오는 일도 더러 있습니다. 국민들이 낸 세금으로 국가에서 월급을 주는데 국가에서 부르면 이유와 변명 없이 달려 나와야 하는 것이 공무원의 자세이고 예외는 없습니다. 지역행사와 지자체의 축제도 전면 취소합니다. 비상사태는 모두 악재이니 행사와 축제는 당연히 취소되는 것이지요. 축제기간에는 각 실과소마다 전 직원이 각자 맡은 업무를 해야 행사가 원활하게 이루어집니다. 행사 중간과 마지막에 주변 쓰레기와 청소까지 마무리하는 것도 공무원들 몫입니다.

전화를 받지 않으면 되지 않느냐고요? 큰일 날 일입니다. 공무원들은 비상연락망 시스템이 있고 어떤 경우에도 연락이 되어야 합니다. 산간오지를 가더라도 유선전화든 가족번호든 비상연락망에 올려놔야합니다. 명절때도 예외가 아닙니다. 저에게 연락하는 동료가 있고 제가 연락해줘야 할 동료가 있습니다. 연락이 안 되거나 연락처 기재가 되 있지 않으면 모든 책임이 그 사람에게 돌아옵니다.

공무원은 날마다 비상사태입니다. 가족이나 주위에 있는 공무원들의 애환을 알아주시고 격려 많이 해주시면 감사하겠습니다.

# 덤으로 사는 사람들

"아, 이런 곳에 집 짓고 살고 싶다."

아내의 이 말 한마디에 정말로 시골에 땅을 사서 황토방을 지어 귀촌까지 한 남편이 있습니다. 진안읍에서 전주 방향으로 20여 킬로미터가 떨어진 곳에 있는 성수면을 지나던 아내가 혼잣말을 했는데 남편은 그렇게 하자며 즉각 실행에 옮깁니다.

아내는 오랜 시간 동안 치매로 고생하던 아버지의 병수발을 하며 많이 지쳐있었고, 아버님이 돌아가시고 얼마 후에 유방암 진단을 받게 되었습니다. 초기도 아니어서 힘겨운 수술까지 했기에 남편의 아내 걱정이 이만저만이 아니었습니다. 암에 걸렸고, 초기도 지났다고 하고, 장시간의 수술까지 했으니 남편은 아내가 시한부인생이 된 것처럼 걱정하며 사랑하는 아내에게 마지막 선물을 주겠다는 마음이 든 것이었죠. 전주에 살던 부부는 주말에 드라이브하다가 그렇게 귀촌을 결심했고, 곧바로 토지를 매입해서 황토로 집을 지었습니다.

당시 '재가암' 업무를 했던 저는 부부의 집으로 찾아가서 인사를 드렸습니다. 아내는 저보다 세 살이 많았습니다. 젊은 나이인데 암에 걸렸다 하니 정말 안타까웠습니다. 재가암환자를 방문한 중에 가장 젊은 나이여서인지 더 크게 안타까움을 느꼈습니다. 암 진단과 수술 이후 귀촌을 했으니 저 역시 막연하게 혹시 생이 얼마 남지 않은 것은 아닐까 하는 걱정을 했습니다. 보건소에서 재가암환자에게 제공하는 영양식을 전달하고 이런저런 이야기를 나누며 각별한 정이 들었습니다. 몇 차례의 방문 후부터는 언니로 불렀습니다. 언니는 저를 친동생처럼 여기며 살갑게 대해주었습니다. 방문할 때마다 맛있는 음식을 주었는데 음식 재료들은 돈 주고 사는 게 하나도 없이 100% 유기농이고 직접 재배한 것들로 차려주었습니니다. 암 진단을 받은 후부터 섭생의 중요성을 알게 된 것입니다. 저도 어릴 적부터 인스턴트 음식이나 기름진 음식을 좋아하지 않던 터라 매번 맛있게 먹었습니다. 저는 외식을 할 때 돈을 내고 사 먹을 만한 것인지, 아니면 내 돈 주고는 안 사먹을 음식인지 구분할 정도인데, 이 정도 건강식이라면 비싼 돈을 내고서라도 사먹고 싶다는 생각이었습니다.

워낙 친하게 지내다 보니 멀리 부산에 사는 친언니보다 더 가깝게 느끼게 되었고, 언니는 처음보다 건강이 많이 좋아졌습니다. 공기 좋고 물 좋은 곳에서 유기농 음식으로 요양하니까 건강이 좋아진 것입니다. 그러던 중 저는 20킬로미터 쯤 떨어진 안천면 보건지소로 발령이 나서 언니와 자주 만나지 못하게 되었습니다. 그런데 어느 날 언니가 김치를 담갔다며 제가 근무하는 안천면까지 가져다주었습니다. 맛있는 음식을 몇 번씩이나 가져다주면서, 좋은 음식을 먹을 때마다 제 생각이 난다고 했습니다. 제가 먼저 챙겨줘야 하는 환자인데 오히려 저에게 도움을 주는 분이었습니다. 힘드니까 그러지 말라고 해도 자신이 좋아서 하는 일이라고 사양하지 말라고 했습니다. 잊을 수 없는 귀한 음식도 주셔서 먹은 일이 있습니다. 바로 산삼입니다. 남편이 언니 먹으라고 산삼을 사왔는데, 방문보건 갔을 때 유독 약해 보이는 저에게 선뜻 한 뿌리를 준 것입니다. 처음에는 거절했으나 기어코 먹기를 원해서 그 자리에서 산삼 한 뿌리를 먹었습니다. 저도 언니와 함께 많이 건강해졌는데 이게 바로 산삼의 효과인 것 같습니다. 그 뒤로도 우리는 자주 통화도 하고, 언니가 허리 아파 전주 병원에 입원했을 때 문병을 가기도 했습니다.

언니는 본인과 가족이 먹는 음식은 열심히 농사짓고, 맛있는 음식으로 요리해서 한 번씩 가져다주기를 반복하며 행복하게 지내고 있습니다. 암 치료로 힘들어졌음에도 늘 꿋꿋하게 집안일과 농사를 하고 마을 경로당에서 어르신들 모시는 일까지 하며 지내고 있습니다. 언니와 형부가 앞으로도 오랫동안 건강한 식단으로 식사하며 행복하게 살기를 기도드립니다.

이렇게 암 진단을 받아도 맑은 공기와 좋은 음식으로 더 이상은 나빠지지 않고 잘 지내는 경우도 많습니다. 주변에서 걱정하지 않아도 되겠다 싶을 정도로 멋지게 제2의 인생을 사는 것이죠.

여기 또 한 명의 멋진 인생을 사는 분이 있습니다.

"여보 무슨 일 생기면 내게 수의 입히지 말고 합창단복 입혀줘."

55세가 되던 2011년, 전신암검사PET CT를 받으면서 암을 발견한 분의 한마디입니다. 작년에 여행 모임을 통해 만나게 된 여행가이자 아마추어 성악가인 분인데요. 암 수술을 받으러 들어갈 때 마취에서 깨어나지 못하거나 수술로도 회복할 수 없을지도 모른다는 불안감에 아내에게 유언을 남긴 것이었습니다. 다섯 시간에 걸친 대수술을 마친 여행가는 수술에서 깨어난 뒤에도 걱정이 많아졌습니다. 밤 10시까지 재우지 말라는 의사의 말에 가족들은 잠에 빠지려는 여행가의 몸을 연신 흔들었습니다. 그는 자다 죽더라도 자고 싶다는 생각이 들 정도였는데, 잠에 빠지면 영원히 잠들 것 같다는 두려움도 동시에 느꼈다고 합니다.

여행가는 수술 후 8일 만에 퇴원해서 집으로 돌아왔습니다. 집안 거실로 들어온 햇살마저 반가웠고 감사했다고 합니다. 새 인생을 시작하면서 만난 햇살이었으니 얼마나 반가웠을까요. 두 번째 삶을 선물로 받았다는 그는 하나님에게 감사 기도를 드렸고, 좀 더 가치 있는 삶을 살겠다고 다짐합니다.

해외를 다니며 무역업에 종사했던 그는 정년퇴직을 하고 나서 여행길에 올랐습니다. 오래전부터 꿈꾸었던 순례자의 길을 걷고, 여행기를 책으로 남기겠다는 목표를 이루기 위해 산티아고로 떠납니다. 지난 60년 동안 나름대로 보람 있게 살아온 자신에게 주는 선물로, 산티아고 순례길을 선택한 것입니다. 그 여정 속에서 순례길의 어려움과 외로움, 마음의 갈등과 신체의 고통을 이겨낸 자신의 모습을 보았다고 합니다. 그리고 결국, 건강한 사람들도 도전하기 어려운 800킬로의 고행의 길을 견뎌냈습니다. 31일 동안의 여행기를 〈산티아고 까미노 파라다이스〉라는 책으로 펴냈고, 이제는 건강해진 몸으로 봉사활동도 하고, 인생을 기록하고 있습니다.

그의 회사에서 제공한 건강검진 서비스가 없었다면, 그분은 어쩌면 지금만큼 인생을 즐기기는 어려웠을 거라는 생각이 문득 들었습니다. 저만 그런 생각을 하는 게 아닐 겁니다. 검진받기를 권유하는 저로서는 얼마나 다행스러운 사례인지 모르겠습니다. 검진받고 치료도 잘 받아서 새롭게 태어난 분들에게 박수를 보냅니다.

암이 발병하고 치료가 되었거나 조기에 발견해서 치료를 받는 분들이 공통적으로 하는 말이 있습니다. '나는 새로 태어났다, 덤으로 사는 인생이다'라는 말입니다. 치료 후 퇴원하는 날을 두 번째 생일이라고 소개하는 분들의 마음은 전부 같을 것입니다.

전신암검사PET CT는 본인의 희망에 의해 신청할 수 있고 개인 비용이 들어갑니다. 전신암검사도 기회 되는 대로 받으시고 우선은 국가에서 무료로 검진하고 있는 5대 암 검진을 꼭 받으시길 바랍니다. 아마 “검진아 고맙다!”라는 말이 저절로 나올 것입니다.

검진아

고맙다

책 제목이 정해진 뒤부터 제 문자메신저 프로필은 〈검진아 고맙다〉였습니다.

"너 무슨 일 있니? 어디 아파? 어떻게 된 거야?" 라고 묻는 사람들이 있고 "아들 이름이 검진이에요?" 하는 사람이 있었습니다.

평소에는 말부터 앞세우지 않는 성격인데, 이 책은 많은 사람들에게 출간을 먼저 알리고 그 후부터 원고를 쓰게 되었습니다. 생각하던 대로, 말하던 대로 써지지 않을 때마다 막막했습니다. 창피한 기분이 들어 출판을 포기하고 싶을 때가 한두 번이 아니었습니다. 하지만 가족들 덕분에 마음을 다잡을 수 있었습니다. 언니와 동생이 'KBS스페셜 앎'을 본 뒤, 제가 쓰려고 하는 검진 이야기가 사람들에게 꼭 필요하고 중요하겠다며 응원해 주었습니다. 저는 초심으로 돌아가 원래 책을 쓰려고 했던 이유를 다시금 되새겨 보았습니다.

건강검진은 3명 중 1명을 살릴 수도 있고, 생명을 연장할 수도 있는 가치를 지니고 있습니다. 그 가치에 대해 누구보다 잘 알고 있고, 중시하는 제가 포기하는 건 말도 안 되는 일이었습니다. 이 책은 그동안 제가 밖으로 드러내지 않고 꿈꿔왔던 일이자, 26년간의 제 경험과 생각과 추구하는 것을 정리한 내용입니다.

2년 연속 전국 1위 수검률로 보건복지부 장관상을 받고, 전국에서 강의요청을 받은 적이 있습니다. 표창장이 주는 감동보다, 얼굴도 모르는 전국의 담당공무원들의 비결을 알려달라는 전화가 더 큰 감동으로 다가왔습니다. 표창은 어찌 보면 형식적인 절차 중 하나이지만, 공무원들의 전화는 정말 현실적이고 와 닿는 거라 생각했기 때문입니다.

책을 쓰는 도중, 팔순이 넘은 아버지는 뇌경색을 앓

은 뒤 치매 증세까지 보이셨습니다. 제 약한 몸을 늘 걱정하며 챙겨주신 아버지. 제가 얼마나 건강하게 열심히 살고 있는지 아버지에게 보여주고, 안심시켜드리고 싶었습니다. 생전에 짬짬이 보시거나 읽어드리고 싶어서 더욱 열심히 썼습니다.

의료현장 최일선에 있는 70만 명의 간호조무사들의 위상을 격상시켜준 대한간호조무사협회 홍옥녀 회장님을 비롯해 전국 국가암지정 병원과 전문검진센터에서 검진업무에 최선을 다하고 있는 제 동료들, 간호조무사에게도 감사와 응원을 보내고 싶었습니다. 26년을 행복하게 일할 수 있게 해준 보건소 가족들과 군수님, 면장님, 이장님들, 바쁜 농사철에도 검진을 받은 면 주민님들께 감사드립니다.

이 책을 통해 건강검진을 미루던 누군가가 서둘러 검진센터를 찾아가길 희망하고, 보건소 공무원들의 검진 독려 전화를 편하게 받아주길 바라는 마음이 매우 큽니다. 저는 책이 쓰이기 전부터 검진사업의 필요성을 느꼈습니다. "현장에 답이 있다"라는 판단이 들고나서부터 11개 읍면 행사장에 홍보를 다녔고, 책이 나온 후에는 조기검진의 중요성이 팔도강산 구석구석에 알려지길 바랍니다. 전국 254개 지자체의 모든 행사장에도 달려갈 만

한 가치가 있는 일이니까요.

소아암어린이를 위해 작지만 인세전액을 기부하겠다는 포부도 밝혔습니다. 지금도 투병 중인 전국의 암 환우님의 빠른 쾌유를 기도드립니다.

지난여름 폭염 속에서 시작한 글쓰기 작업으로 주말과 퇴근시간은 없어졌지만 결코 헛되지 않은 시간이 되었습니다. 독자들이 책을 읽고 검진에 앞장서준다면 저는 더없이 큰 상으로 여기겠습니다.

전국 1등의 검진율을 기록하게 해준 가장 결정적인 원동력은 평생 언행일치를 실천하신 아버지와, 책 쓰는 내내 온전히 저를 위해 외조해준 남편, 멀리 떨어져 있는 제 평생 친구 같은 아들 재문이. 이렇게 세 남자에게 감사와 사랑을 담아 이 책을 선물하고 싶습니다.

가족사랑 실천의 시작은 건강검진입니다. 감사합니다.

진안군 상전면 보건지소에서 이선옥 올림

부 록

## 국민 암 예방 수칙

- 담배를 피우지 말고, 남이 피우는 담배 연기도 피하기
- 채소는 충분히, 과일은 적당히 먹고, 다채로운 식단으로 균형 잡힌 식사하기
- 음식을 짜지 않게 먹고, 탄 음식을 먹지 않기
- 암 예방을 위하여 하루 한두 잔의 소량 음주도 피하기
- 주 5회 이상, 하루 30분 이상, 땀이 날 정도로 걷거나 운동하기
- 자신의 체격에 맞는 건강 체중 유지하기
- 예방접종 지침에 따라 B형 간염 예방접종 받기
- 성 매개 감염병에 걸리지 않도록 안전한 성생활 하기
- 발암성 물질에 노출되지 않도록 작업장에서 안전보건수칙 지키기
- 암 조기 검진 지침에 따라 검진을 빠짐없이 받기

## 어르신 건강관리 수칙

- 주기적인 건강검진 실시로 건강상태 확인
- 고혈압, 당뇨병 등 만성 질환자는 매일 투약관리 철저
- 시기별 예방접종(B형간염, 독감, 폐렴, 파상풍 예방접종)
- 균형 잡힌 식사와 영양유지
- 적당한 운동, 금연, 절주 생활 실천
- 스트레스 해소로 우울증과 자살위험 예방
- 교통사고, 음주운전, 담뱃불로 인한 사고나 낙상 조심으로 안전사고 예방
- 올바른 칫솔질 습관과 정기적인 치과 방문으로 구강건강 관리

## 치매 예방 방법

**운동** - 일주일에 3번 이상 걷기

**식사** - 생선과 채소를 골고루 먹기

**독서** - 부지런히 읽고 쓰기

**금연** - 담배는 피우지 않기

**절주** - 술은 한 번에 3잔보다 적게 마시기

**뇌 손상 예방** - 머리를 다치지 않도록 조심하기

**건강검진** - 혈압, 혈당, 콜레스테롤을 정기적으로 점검하기

**소통** - 가족과 친구와 자주 연락하고 만나기

**치매 조기발견** - 매년 보건소에서 치매 조기검진 받기

*치매 예방에 좋은 음식

잡곡밥, 고등어, 카레, 두부, 토마토, 견과류, 비타민C, 신선한 채소

## 여행 전 필수 점검사항

여행국에 위험요인이 있는지 미리 확인하세요. 필요한 예방 접종, 말라리아 예방약 또는 기타 구급약 및 장비 등을 체크하고 필요시 의사와 상의하세요.

- 예방접종이 요구될 경우 최소 2개월 전부터 준비해야 합니다.
- 말라리아 예방약은 전문 의약품으로 반드시 의사의 처방을 받아 최소 일주일 전부터는 복용해야 합니다.
- 기존 복용약물(피임약 포함), 진통제, 해열제, 자외선차단제, 반창고, 살충제, 항생제, 일회용밴드, 콘돔 등을 준비하시기 바랍니다.
- 길거리에서 파는 음식은 피하세요.
- 임신 중이거나 임신 계획이 있는 경우, 의사와 반드시 상의해야 합니다.

## 여행자 주의사항

- 음식을 먹기 전에는 반드시 비누로 손을 씻으세요. 비누와 손 씻을 물이 없다면 60%이상 알코올을 포함하는 세척 젤을 사용하세요.
- 생수나 끓인 물, 탄산수만 마시는 게 좋습니다. 수돗물, 분수물, 얼음은 먹지 않도록 합니다.
- 길거리에서 파는 음식은 피하세요.
- 음식은 완전히 익힌 것만 드세요.
- 완전히 파스퇴르화 된 제품을 제외하고는 유제품을 먹지 마세요.
- 30%~50% DEET을 사용한 곤충 기피제를 사용하세요.
- 말라리아 모기가 극성을 부리는 시기(황혼에서 새벽까지)에는 방충망이 설치되거나 에어컨디셔닝이 되는 방에 머무르는 것이 좋습니다.
- 대낮에는 태양에 노출되는 것을 최소화 하세요.
- 긴 팔, 긴 바지, 자외선 차단 선글라스와 창이 넓은 모자를 착용하세요.
- 피부가 노출되는 부위에는 SPF 15 이상의 선크림을 바르세요.
- 물에서 자외선에 과다하게 노출되지 않도록 주의하세요.
- 사고에 대비해 반드시 보험에 들어두세요.
- 자국 운전면허증과 함께 국제 운전면허증을 가지고 가세요.
- 렌터카는 타이어, 안전벨트, 스페어바퀴, 전등, 브레이크 등을 점검하세요.
- 여행국의 교통관습을 알아두세요.

- 낯선 곳이나 조명이 어두운 길에서는 운전을 피하세요.
- 구명조끼 사용법 등 안전수칙을 숙지하세요.
- 어린이가 얕은 물에서 놀더라도 어른이 주위에서 감독하세요.
- 다이빙 전에 물의 깊이를 확인하고, 흐린 물속에는 뛰어들지 마세요.
- 온천이나 사우나에서는 극단적인 온도를 피하세요.
- 물가나 강둑, 늪지대에서는 반드시 신발을 신으세요.
- 동물에게 물리거나 동물을 통해 전염될 수 있는 질환(광견병이나 페스트 등)예방을 위해 개나 고양이 같은 동물을 건드리거나 만지지 마세요. 만약 물렸거나 할퀴었다면 상처를 비눗물로 세척하고 의사를 찾아 광견병 백신이 있는지 물어보세요.
- HIV나 바이러스성 간염의 예방을 위해 문신, 피어싱 등에 사용되는 주사기를 절대 공유해서는 안됩니다.
- HIV 및 기타 성병의 전파를 막기 위해 성관계시 반드시 콘돔을 착용하세요.

즐겁고 행복한 여행길이지만 혹시 모르는 질병들이 도사리고 있다는 생각으로 떠나기 전에 건강에 대해 한번 더 준비하는 시간을 갖길 바랍니다.

## 해외여행 시 질병 예방 정보

해외로 나갈 계획이 있다면 적어도 6주 전에 병원을 방문해서 꼭 확인하고 필요한 예방접종 받으시기 바랍니다.

* **'파상풍'** 은 상처 부위에서 자란 파상풍균이 만들어내는 신경독소에 의해 몸이 쑤시고 근육수축이 나타나는 감염성 질환입니다. 세계도처 어디에서든 발병할 수 있습니다. 심한 경우에는 사망에 이르게 되기도 하니, 반드시 접종하시길 바랍니다.

* **'황열'**은 사망률이 20%이상으로 치명적인 질병입니다. 아프리카나 남아메리카에 입국할 때는 '황열' 예방 접종이 기록된 국제공인 예방접종 증명서를 요구합니다. 방문하는 나라에서 증명서를 요구하는지 미리 확인하고, 최소한 출발 열흘 전에는 병원에서 접종 후 증명서를 받아두는 것이 좋습니다. 한번 접종 후 10년 동안 면역력이 유지됩니다.

* **'수막알균'**은 아프리카중부지역, 중동지역, 기타개발도상국에서 발병하며 걸리면 48시간 이내에 사망에까지 이르는 급성감염병입니다. 접종 후 항체 형성에 2주 정도의 시간이 걸리니, 한 달 전에는 예방접종을 해두는 게 좋습니다. 사우디아라비아 성지순례를 하는 여행자는 백신이 필수이며 증명서를 제출하도록 되어 있습니다.

* **'A형간염'**은 간세포를 파괴하는 A형 간염바이러스에 의한 질환입니다. 오염된 음식을 먹고나 물을 마시면 감염이 됩니다. 태

국, 베트남, 필리핀등 동남아시아와 중동지역에 많이 나타납니다. A형간염 환자와 접촉해도 옮을 수 있는 병이고 감염되면 30일 정도의 잠복기를 거친 후에 메스꺼움, 구토, 발열증세가 나타납니다. A형감염 접종은 병원에서만 하고 있습니다.

또한 아프리카나 동남아 지역에서 현지인과 밀접한 접촉이 있을 것으로 예상되는 여행자는 'B형간염'은 예방접종을 하는 것이 좋습니다.

* **'장티푸스'**는 '염병'이라고 불리며 전염병 중에 가장 무서운 병입니다. 살모넬라균이 장을 통해 몸속으로 침투해서 감염시키는 질환으로 설사와 원인을 알 수 없는 발열과 복통의 증세를 보입니다. 잠복기가 평균 1주에서 3주니까 여행 후에 증세가 나타나면 즉시 병원으로 가셔야 합니다.

* **'콜레라'**는 동남아시아, 아프리카, 중동, 남아메리카에 주로 발병합니다. 감염된 사람의 배설물과 구토에 의해 오염된 물과 음식물을 섭취하면 감염이 됩니다. 조리가 덜 된 요리, 덜 익은 해산물이 원인이 되기도 합니다. 오지로 봉사활동가는 분들은 곡 접종하고 떠나셔야 합니다. 국립인천공항검역소를 비롯한 전국 13개 검역소에서 예방접종을 해주고 있습니다. 1주일 간격으로 2회 접종하고 성인의 경우라면 2년간의 면역력이 있습니다. 예방은 철저한 개인위생과 안전한 음식섭취로 충분하며, 예방접종에 의한 면역 형성은 기초접종 2회와 추가접종이 권고되고 있습니다.

* **'말라리아'** 우리나라 연예인이 아프리카로 촬영 갔다가 '말라리아'로 사망한 경우도 있습니다. 중앙아메리카, 남아메리카, 아시

아, 지중해연안지역은 말라리아를 조심하고, 아시아, 남태평양, 아프리카, 아메리카 대륙의 열대지방과 아열대지방으로 여행갈 때는 뎅기열을 조심하세요.

말라리아 유행지역을 가는 경우에는, 여행 출발 1~2주 전에 예방약을 복용하셔야 합니다. 예방약을 복용하여도 '말라리아'에 걸릴 위험성이 있으므로 여행 중이나 귀국 후 2달 이내에 열이 나면 즉시 병원을 방문하도록 합니다.

* **'일본뇌염'**은 성인의 경우 예방접종의 대상이 되지는 않으나, 소아는 백신을 맞는 것이 좋습니다. 예방접종은 초회 접종인 경우 1주일 간격으로 2회 피하주사하며, 1년 뒤 1회 접종합니다. 추가접종은 6세, 12세에 합니다. 여행 10일 전에 예방접종을 완료하여야 합니다.

* **'광견병'**은 시골에 방문하는 경우, 동물과 접촉이 많을 것이 예상되는 경우, 1달 이상 장기간의 여행을 하는 경우에 예방접종을 하는 것이 좋습니다. 예방접종은 어깨근육에 3회 접종합니다.

* **'인플루엔자'**는 65세 이상의 노인, 심장질환, 폐질환을 가지고 있는 환자, 아스피린 치료를 받고 있는 소아 등이 접종대상이 되며 매년 1회씩 접종 받아야 합니다.

## 심뇌혈관질환 예방 관리를 위한 9대 수칙

1. 담배는 반드시 끊습니다
2. 술은 하루에 한두 잔 이하로 줄입니다
3. 음식은 싱겁게 골고루 먹고, 채소와 생선을 충분히 섭취합니다
4. 가능한 한 매일 30분 이상 적절한 운동을 합니다
5. 적정 체중과 허리둘레를 유지합니다
6. 스트레스를 줄이고 즐거운 마음으로 생활합니다
7. 정기적으로 혈압, 혈당, 콜레스테롤을 측정합니다
8. 고혈압, 당뇨병, 고지혈증을 꾸준히 치료합니다
9. 뇌졸중, 심근경색증의 응급 증상을 숙지하고 발생 시 즉시 병원에 갑니다

# 영유아 건강검진 안내

□ **대상 : 만6세 미만 영유아**

□ **검진주기**

| 구분 | 검진주기 | | 검진비용 |
|---|---|---|---|
| | 일반 | 구강 | |
| 1차 | 생후 4~6개월 | - | ※ 비용부담<br>- **본인부담 없음** |
| 2차 | 생후 9~12개월 | - | |
| 3차 | 생후 18~24개월 | 생후 18~29개월 | |
| 4차 | 생후 30~36개월 | - | |
| 5차 | 생후 42~48개월 | 생후 42~53개월 | |
| 6차 | 생후 54~60개월 | 생후 54~65개월 | |
| 7차 | 생후 66~71개월 | - | |

□ **검진기관 :** 전국 건강검진기관(건강보험공단 검진안내문 참조)

□ **대상자 확인**

- 국민건강보험공단 홈페이지 인터넷 조회 www.nhic.or.kr 홈페이지에서 생년월일로 월령별 검진기간 조회 가능

□ **영유아 발달장애 정밀검사비 지원**

- 영유아 검진결과 중 발달 평가에서 「심화평가 권고」 판정자 ( 의료급여수급권자, 차상위계층, 건강보험료 하위 30% 이하인 자 )

□ **문의처 :** 주민등록지 관할 보건소

# 국가암검진 및 건강검진 안내

☐ **기 간 : 연중(2017.1.1 ~ 2017.12.31)**

☐ **검진대상 및 항목**

<table>
<tr><th>검진유형</th><th colspan="2">검진대상</th><th>검진항목</th></tr>
<tr><td rowspan="2">일반검진</td><td>건강보험<br>가입자</td><td>• 직장·지역 가입자<br>• 40세 이상 지역가입자 및 피부양자</td><td rowspan="2">혈압, 혈당<br>등 20여종</td></tr>
<tr><td>의료급여<br>수급권자</td><td>• 만 19세~39세 세대주<br>• 만 41세 ~ 64세 세대주 및 세대원<br>* 만40세, 만66세는 생애전환기건강진단 실시</td></tr>
<tr><td>암 검진</td><td colspan="2">만40세이상 남·여<br>- 단, 대장암은 만 50세 이상 매년검진(대변검사) /<br>자궁경부암은 만 20세 이상<br>- 간암 : 40세 이상 남녀 중 고위험군 대상자<br>(검진주기 - 반기1회)</td><td>위암, 간암,<br>대장암,<br>자궁경부암,<br>유방암</td></tr>
<tr><td>생애전환기<br>검진</td><td colspan="2">만40세, 만66세<br>(77년생, 51년생)</td><td>일반검진,<br>암검진 등</td></tr>
</table>

☐ **검진기관 :** 전국 건강검진기관(건강보험공단 검진안내문 참조)

☐ **유의사항**

- 지참서류 : 신분증 또는 검진안내문
- 검진전날 저녁 9시 이후 금식(음식, 물 등) : 8시간 공복 유지
- 대장암 검진 : 보건소·보건지소에서 채변통을 미리 수령하여 검진 시 제출

☐ **암의료비 지원**

- 국가암검진수검자(건강보험료 하위 50%)에 대해 암 진단시 의료비 지원

※ 미 검진시 암의료비 지원 불가

☐ **문의처 :** 주민등록지 관할 보건소

# 암환자 의료비지원 안내

## □ 대상

- 소아암 : 의료급여수급권자, 2017년도 기준 중위소득 120% 이하
- 성인암 : 의료급여수급권자, 국가암검진 대상자
- 폐　암 : 의료급여수급권자, 건강보험가입자 보험료부과기준
  ※ 2017년 건강보험료 기준 : 직장가입자 89,000원 이하, 지역가입자 90,000원 이하

## □ 지원내용

| 구분 | 소아 암환자 | 성인 암환자 | | |
|---|---|---|---|---|
| | | 의료급여수급자 | 건강보험가입자<br>(국가암검진 수검자) | 폐암 환자 |
| 선정 기준 | · 건강보험가입자 : 소득·재산 조사<br>· 의료급여수급자 : 당연 선정 | · 당연 선정 | · 국가암검진 수검자<br>· 1월 건강보험료(검진연도 제외) | · 건강보험가입자 : 평균 건강보험료<br>· 의료급여수급자 : 당연 선정 |
| 지원 암종 | · 전체 암종 | · 전체 암종 | · 5대 암종<br>(위암, 대장암, 간암, 유방암, 자궁경부암) | · 원발성 폐암(C34) |
| 지원 기간 | · 만 18세 미만 연속 | · 연속 최대 3년 | · 연속 최대 3년 | · 연속 최대 3년 |
| 지원 금액 | · 백혈병 : 3,000만 원<br>· 백혈병 이외 : 2,000만 원<br>(조혈모세포이식 시 3,000만 원)<br>*본인일부부담금·비급여 본인부담금 구분 없음 | · 본인일부부담금 120만 원<br>· 비급여 본인부담금 100만 원 | · 본인일부부담금 200만 원 | 건강보험가입자 : 본인일부부담금 200만 원<br>· 의료급여수급자 : 본인일부부담금 120만 원, 비급여 본인부담금 100만 원 |
| 지원 항목 | · 본인일부부담금<br>· 비급여 본인부담금 | · 본인일부부담금<br>· 비급여 본인부담금 | · 본인일부부담금 | · 건강보험가입자 : 본인일부부담금<br>· 의료급여수급자 : 본인일부부담금, 비급여 본인부담금 |

## □ 구비서류

① 암환자 의료비 지원신청서 : 보건소 비치
② 진단서(진단명, 질병코드번호, 진단일 기재된 원본)
③ 진료비 영수증 원본, **약국 영수증(꼭 처방전 포함)**
④ 본인명의 입금통장 사본, 도장, 신분증
⑤ 의료급여 수급자 확인서(의료급여 수급자일 경우)

## □ 문의처 : 주민등록지 관할 보건소

# 검진아 고맙다

**초판 1쇄** 인쇄 2017년 3월 21일 / 초판 2쇄 발행 2017년 4월 6일
**지은이** 이선옥
**발행인** 유준원
**고문** 강원국
**편집** 장선아
**디자인** 이완수
**발행처** 도서출판 더클
**공급처** 명문사, 북센
**출판신고** 제2014-000053호
**주소** 서울시 금천구 디지털로9길 65 백상스타타워 1차 511호
**전화** (02) 6213-3222
**팩스** (02) 6111-3919
**전자우편** thecleceo@naver.com
**홈페이지** www.theclebooks.com


ISBN 979-11-86920-17-6 (03510)

이 도서의 국립중앙도서관 출판예정도서목록(CIP)은 서지정보유통지원시스템 홈페이지(http://seoji.nl.go.kr)와 국가자료공동목록시스템(http://www.nl.go.kr/kolisnet)에서 이용하실 수 있습니다. (CIP제어번호 : 2017007186)



도서출판 더클은 독자 여러분의 책에 관한 아이디어와 원고 투고를 기다리고 있습니다.
출간을 원하시는 분은 thecleceo@naver.com로 개요와 취지, 연락처 등을 보내주세요.

책이 출간되기 직전에 면장님으로 퇴직한 양선자 간호조무사 선배님에게 원고를 보냈습니다.
선배님은 새벽 두시까지 원고를 읽고 카톡을 보내왔는데, 이걸 보고 그동안 책 쓰느라 힘들었던 모든 것이 사라지는 기분이 들었습니다.
더 열심히 살아야겠다는 다짐과 함께, 감동을 준 선배님 글을 최초의 서평으로 실어봅니다.

〈사랑하고 존경하는 "검진아 고맙다" 우리 이선옥!
자랑스럽고 훌륭하구나.
생생한 현장감이 담긴 사람에게 도움되는
소중한 글 하나하나가
나를 감동하게 했다.
새벽 2시까지 꼼꼼히 잘 읽었다.
대단하고 자랑스럽구나.
진즉에 똑똑한 것은 알았지만
이렇게 훌륭할 줄이야...
보건사업의 산증인이 되고
보건사업 발전에 길이 남을
소중한 내용이다.
고생했다. 그리고 훌륭하다.
우리 후배 자랑스럽다.

그리고 훌륭한 딸이며
훌륭한 엄마다.
존경한다!〉

-양선자 전) 보건소장 · 상전면장 16년 12월 퇴직-

담쟁이 — 도종환

저것은 벽
어쩔 수 없는 벽이라고
우리가 느낄 때
그때,
담쟁이는 말없이 그 벽을 오른다.

물 한 방울 없고,
씨앗 한 톨 살아남을 수 없는
저것은 절망의 벽이라고 말할 때
담쟁이는
서두르지 않고 앞으로 나간다.
한 뼘이라도 꼭 여럿이 함께
손을 잡고 올라간다.
푸르게 절망을 다 덮을 때까지
바로 그 절망을 잡고 놓지 않는다.

저것은 넘을 수 없는 벽이라고
고개를 떨구고 있을 때
담쟁이 잎 하나는
담쟁이 잎 수천 개를 이끌고
결국 그 벽을 넘는다.

벽 — 이선옥

저에겐 벽이었습니다.
약한 몸 늦은 출산으로 얻은
외동아들의 먼 유학길은 처절했습니다.
아들바라기 13년이 사라져 버린 벽은
잠을 가져간 대신 더 약한 몸을 주었습니다.

아들바라기가 잘못된 방향으로 간다는
사실을 알고 일에 매달렸습니다.

처음 맡은 국가암검진사업은
새로운 벽이었습니다.
3시간 동안 민원인의 불평을 들어야 했고
육두문자까지 날아왔습니다.
형편없는 실적도 벽이 되어 암담했습니다.

아들바라기가 큰맘 먹고 매달리려는 일을
포기하지 않았습니다.
맡은 일이 단순실적이 아니라
생명을 살리는 소명이어서 담쟁이가 됩니다.

여럿이 함께 움직이며 담쟁이 첫 잎으로
현장에 뛰어들었습니다.
3시간 민원인도 육두문자 할머니도
고맙다고 인사하고 전국 1위라며
표창까지 주었습니다.

벽은 없었는데 제가 혼자 벽이라며
주저앉았던 시간이었습니다.
절망까지도 놓지 않고 푸르게 덮어버린
담쟁이가 정말 고맙습니다.